入門
考える技術・書く技術
日本人のロジカルシンキング実践法

山﨑康司
［著］

まえがき
——日本語のハンディを乗り越える

　ピラミッド原則は、世界中の一流経営コンサルティング会社においてレポート・ライティングの基本コンセプトとして広く採用されているライティング手法です。バーバラ・ミント女史が1970年代にマッキンゼーで教え始めて以来、ピラミッド原則をまとめた著書*The Pyramid Principle*（邦訳『考える技術・書く技術』ダイヤモンド社）は10数カ国語に翻訳され、コンサルティング会社や調査会社の定番図書として定着しています。

　私がこの本に出合ったのは、某米国系経営コンサルティング会社に入社した1984年のことです。このコンセプトに強く惹かれ紆余曲折を経て、1992年には企業顧客を中心にレポート・ライティングの教育指導に取りかかる一方、1995年には同書の邦訳に、1999年には新版の刊行に携わるなど、かれこれ四半世紀にわたってピラミッド原則の普及に取り組んできました。

　しかし今なお、心残りがあります。ピラミッド原則はグローバルに通用するものですが、いざ実践しようとすると、日本語特有の問題が足を引っ張るのです。

　たとえば、欧米言語の方からすれば信じられないことかもしれませんが、日本語のおよそ8割の文章には主語がありません。主語への意識が極めて薄いのです。これは、考えを正確に表現し、ロジカルに組み立てる際にかなりのハンディキャップとなります。

また、日本語では接続詞を気安く使えてしまうせいか、前後のロジックを問わずに文章をつないでしまっても、何の違和感も持たれないという難点もあります。詳しくは本書で解説しますが、たとえば、「が」に至っては、順接（and）と逆説（but）の両方に使われているほどです。

　ピラミッド原則の基本は、考えを1つの文章で表現することにあります。しかし、こうした日本語特有の問題が、考えを1つに絞ることを妨げています。単に表現上の問題ではなく、考える行為そのものの足を引っ張っているのです。私たちは普段使っている日本語についてさほど意識することはありませんが、論理思考に苦手意識を持つ人が少なくない背景には、こうした問題があるのです。

　本書はレポート・ライティングの初級者を対象に、とりわけ日本語特有の問題に配慮し、考えを表現する方法を提示、「日本人による日本人のための実践ガイド」に徹しました。また、日常業務ですぐに使えることを念頭に、メール・ライティングについてのアドバイスもまとめています。

　読者の皆様がピラミッド原則を理解するのみならず、本書によって実践スキルを身につけ、日々の仕事に活かしていただければ幸いです。

2011年3月

山﨑　康司

目次

まえがき 日本語のハンディを乗り越える 2

序章
誤解だらけのライティング
日本人がロジカル表現を苦手とする本当の理由

誰も教えてくれなかったレポート・ライティング 8
- 誤解1 書きたいことを書きなさい
- 誤解2 起承転結で書きなさい

グローバル・スタンダードを学ぶ 11
- レポートを受ける立場になって読んでみる
- 考えるプロセスと書くプロセスを分ける

1章
読み手の関心・疑問に向かって書く
OPQ分析で読み手の疑問を明らかにする

読み手は何に関心を持ち、どんな疑問を抱くのか 18
読み手の関心を呼び起こすには 20
読み手の疑問を明らかにする「OPQ分析」 26
OPQ分析のコツ 35

2章

考えを形にする
メッセージを絞り、グループ化する「ピラミッドの基本」

- **メッセージの構造を明らかにする** ……… 42
  - 一度に覚えられる数には限界がある
  - メッセージ構造をそのまま文書へ
- **グループ化と要約メッセージ** ……… 48
  - メッセージが一般論にならないようにする
- **要約メッセージを文章にするときの「4つの鉄則」** ……… 58
  - 鉄則① 名詞表現、体言止めは使用禁止とする
  - 鉄則② 「あいまい言葉」は使用禁止とする
  - 鉄則③ メッセージはただ1つの文章で表現する
  - 鉄則④ 「しりてが」接続詞は使用禁止とする
- **「So What?」を繰り返す** ……… 65

3章

ピラミッドを作る
ロジックを展開する、チェックする

- **帰納法でロジックを展開する** ……… 70
  - 帰納法の仕組み
  - 「同じ種類の考え」を前提とする
  - 帰納法は「つなぎ言葉」でチェックする
  - 結論を先に述べる
- **演繹法でロジックを展開する** ……… 81
  - ビジネスで演繹法を使う際の注意点
  - 演繹法は「前提」をチェックする
- **ピラミッド作成のコツ** ……… 86
  - コツ① 1つの考えを短く明快に
  - コツ② 縦と横の「二次元」を意識する
  - 1対1の関係に要注意
  - 1対1の番外編「イメージによる説得」

4章

文書で表現する
導入から結びまで、気をつけるべきポイント

- 文書全体の構造はピラミッドに同じ ………… 104
  - ケース「X事業投資」
  - 主メッセージの位置
  - 目次のつけ方
- 段落表現のビジネス・スタンダード ………… 113
  - 段落は「改行＋大きめの行間」で
- 文章のわかりやすさは「接続詞」次第 ………… 116
  - ロジカル接続詞
  - 「しりてが」接続詞の使用ルール
  - 曖昧な接続詞は誤訳のモト
- 読み手を引きつける「導入部」 ………… 125
  - OPQ分析を使って導入部を作る
- 「結び」で今後のステップを示唆する ………… 132

終章

メール劇的向上術
毎日のメールでピラミッドが身につく一石二鳥作戦

- メールが見違えるように変わる「感謝の言葉にPDF」 ………… 138
- 「1日1回ピラミッド」×4カ月 ………… 145

巻末付録　ピラミッドの基本パターン ………… 151
参考文献 ………… 167

序章
誤解だらけのライティング
日本人がロジカル表現を苦手とする本当の理由

私たちは社会人になるまで、
レポート・ライティングを学ぶ機会がありませんでした。
感想文や作文で習ってしまった癖、
日本語ならではのあいまいさ……
まずは、私たちがロジカル表現をする際にひっかかる
日本語特有の落とし穴に注意しましょう。

 # 誰も教えてくれなかった レポート・ライティング

　あなたは今まで、職場の上司や仲間、学校の先生や先輩から、「君の書いたもの、ちょっとわかりにくいのだけど……」「もう少しわかりやすく書いて欲しい」などと言われた経験はありませんか?

　私自身も経営コンサルティング会社に入社して間もない頃、米国人上司からそのように言われたことがあります。レポート・ライティングはコンサルタントの生命線の一つですから、心中、穏やかではありません。その2カ月後、ニューヨーク本社から教育部部長(ハーバード・ビジネススクールの元教授)が日本オフィスにやって来てライティング指導が行われました。その結果、わずか数日間で、その部長からMIP（Most Improved Player、最も上達した人）と言われるまでに変身しました。

　それまでの私のライティングはまったくの我流でした。問題は「英語」ではなく「考え方」にあったのです。基本さえ理解できれば簡単なのですが、残念ながら、日本の学校でレポート・ライティングを習う機会はなかなかありません。ほとんどの人が、社会に出ていきなり、もっとわかりやすいレポートを書けと言われるのです。

　米国のほとんどの大学では、何を専攻するかに関わらず、ライティングが必修科目となっています。留学していた私の娘も1年次に「ライティング基礎」を、3年次に「ライティング上級」を受講しました。どちらも必修でした。ビジネス専攻の学生であれば、ビジネス・ライティングやスライド表現といった講座も欠かせません。

　このように、ライティングに関する意識や教育の日米格差は歴然ですが、問題はそれだけにとどまりません。ビジネスがスピード化・グローバル化し、eメール1本で相手を説得したり、スライド・プレゼン一発

で重要事項を決定したりすることが当たり前となった今、もはやグローバル企業ではライティングの下手な人は出世が困難となっているのです。それが現代の趨勢です。

さて、日本の教育においてライティングを勉強する機会がなかったということは、とりもなおさず、小中学校の国語の時間に習ったことが私たちの頭の中にこびりついていることを意味します。そのうち、典型的な誤解を紹介しましょう。

誤解1　書きたいことを書きなさい

「あまり考えすぎると書けなくなるので、思いついたことを書くようにしなさい」「自分の書きたいことをそのまま書きなさい」。学校の先生からこう言われた経験をお持ちの方は多いと思います。しかし、この教えは万能ではありません。あくまで、日記や感想文などで、書くテーマが見つからない場合のアドバイスです。

　ビジネス文書では、何について書くのかを決めるのは、あなたではありません。それは読み手です。あなたは読み手の知りたいことを、読み手の関心に向かって書くのです。読み手は忙しいのですから、自分に関係のないあなたの関心事や思いつきに付き合っている暇はありません。

　この読み手のために書く、読み手を理解するという教育が日本ではほとんど行われていません。作文や感想文のみならず、中学や高校の国語の試験でも、書き手の意図を答えさせる問題ばかり登場します。小説ならまだしも、実社会では書き手の意図がわかりにくいレポートなど、それだけで失格です。

　しかし、社会人になったからといって、急に読み手の立場を考えて書けと言っても無理な話です。皆さんはどうでしょう。ライティングの前に、「読み手の関心はどこにあるのだろうか」「読み手はこの文書で何を

求めているのだろうか」と考えているでしょうか。

誤解2　起承転結で書きなさい

「起承転結で書きなさい。結論は最後に書きなさい」
　学校の先生からこのように言われて育ったせいか、起承転結という言葉が私たちの頭の中に呪文のように刷り込まれています。
　そもそも起承転結とは、起句・承句・転句・結句の4つから成る絶句と呼ばれる漢詩の構成を表したものです。つまり、ストーリー構成の一つの型を示しているに過ぎません。物語を考える際は便利でしょうが、レポート・ライティングの構成とは無関係です。
　さらにやっかいなのは、結論を最後に持ってくるメッセージ・スタイルが、無用な摩擦を避けて和を尊ぶ日本の社会風土にマッチしていたことです。その結果、起承転結は「結論は最後に」という教えとして私たちの中にすっかり定着してしまいました。
　ビジネス文書では、結論は冒頭に書くのが原則です。読み手は、目下関心を持っている事柄について、いち早くあなたの考えを知りたいのです。ただ、そうわかっていても、結論によほどの自信がないと躊躇するのも仕方ありません。しかし、それは訓練と経験で克服できます。30年前の私がそうだったように、ライティングの基本的な考え方を理解し、習慣として身につければ、起承転結の呪縛を打破することはまったく難しいことではありません。

　このように、国語教育から来る誤解や日本語特有の構造が足かせとなって、ピラミッド原則になじめない人は少なくないようです。逆に言えば、この誤解さえ解ければ、「なるほど」と思うことばかりです。

 # グローバル・スタンダードを学ぶ

「ピラミッド原則」は、1970年代半ばに経営コンサルタント育成とレポート・ライティング向上を目指して開発され、今や世界中のコンサルティング会社や企業、大学などで採用されています。英語であれ、フランス語であれ、中国語であれ、日本語であれ、何語であろうと考え方は同じ。ピラミッド原則は、考え、書くことの「グローバル・スタンダード」です。

一方で、これまで受けてきた自身の日本語教育と、ピラミッド原則の間には、大きなジャンプが必要であることも確かです。いきなり本題に入る前に、軽くウォーミングアップをしましょう。読み手の立場から、主たるメッセージを絞り、考えを整理し、組み立て、文書に落とし込むという一連の流れを、簡単なケースで体験します。

● レポートを受ける立場になって読んでみる

次ページの見開きにある左側の文書（原文）は、某一流企業で実際に書かれた「事業本部の業績」レポートの一部を抜粋したものです。まずはこの文書を読み、書き手が何を伝えようとしているのかを考えてみてください。
「この文書のどこが悪いの？」と思った方は、もう一度読み返してください。「これではわかりにくい」と思った方は、自分だったらどのように書き直すか、考えてみましょう。
そのうえで、右側の修正見本を見て両者の違いを考えてください。

原文

事業本部の業績

　中部日本SI事業本部の業績は表1の通り、1984年以来の好調な国内経済環境の追い風を受け、ハード事業売上の2桁成長にも支えられ、1992年まで順調に推移した。しかし、1993年に入ると、不況の長期化による影響を全面に受け、情報化投資の伸び悩みからサービス事業売上の成長が止まり、ハード事業売上も大きく前年末達となり、かつてない減収減益となった。1994年もこの状況は継続し、後半に若干の増収に転じたが、年間ではほぼ前年並みの売上にとどまった。

表1　事業本部の業績推移

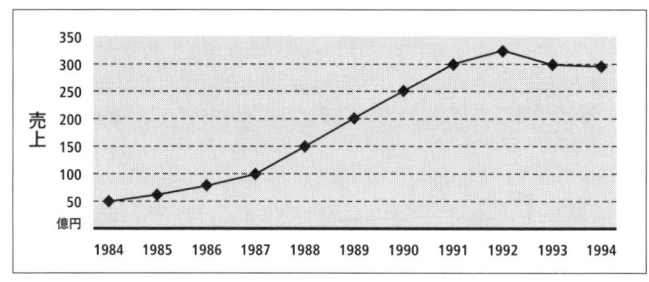

修正見本

事業本部の業績

ここ数年の傾向から見ると、中部日本SI事業本部は1992年をピークに右肩上がりの時代を終えたと言える。

- 同事業本部は、1984年以来、1992年まで順調な発展を続けてきた。この発展を支えてきたのは、好調な国内経済環境の追い風とハード事業の2桁成長である。
- しかし、1993年に入ると、不況の長期化の影響を全面に受けた結果、かつてない減収減益に直面することになった。情報化投資の伸び悩みからサービス事業売上の成長が止まったうえ、ハード事業売上も大きく前年未達となった。
- この状況は1994年においても変わる気配はない。1994年後半は若干の増収に転じたものの、年間ではほぼ前年並みの売上にとどまった。

表1　事業本部の業績推移

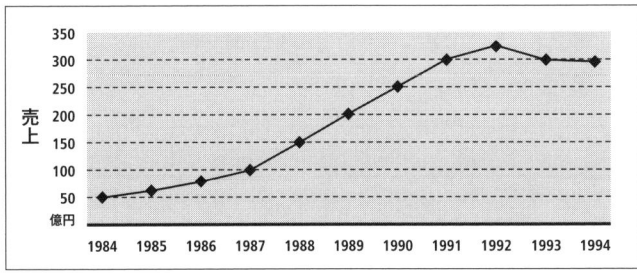

原文と修正見本を見比べて、どう感じましたか？　今回の原文ぐらいの短さならば何とか我慢できるかもしれませんが、この調子で数ページの報告書を読まされてはかないません。

　修正見本では「結論」が冒頭に明快に表現されています。また、結論を導く「3つの判断根拠」も箇条書きでわかりやすく表現されており、全体として「メッセージ構成」が一目でわかるようになっています。

　両者の主な違いは、「書くプロセス」ではなく、その前段階の「考えるプロセス」にあります。メッセージ構成を文書上、一目でわかるよう表現するには、文書を書き始める前に、伝えたい考えを明快に組み立てておく必要があるのです。

　考える作業で大切なのは、最も重要な考え（主メッセージ）を見つけることです。原文では主メッセージが埋もれてしまっており、一読しただけでは見つけにくい状態でした。

　主メッセージを明確にした後は、それを説明するメッセージ（下部メッセージ）との関係を整理します。今回の例では、事業推移のステージを3つ（成長ステージ、急落ステージ、平衡ステージ）に切り分けて解説するのがわかりやすいでしょう。

　このような一連の考えの構成を一目でわかるよう、ピラミッド型に配したのが、右ページの「メッセージ構成」です。

　ここまで来れば、あとはできあがったピラミッドを文書に置き換えるだけです。右ページの「メッセージ構成」と前ページの「修正見本」を見比べてみてください。

● 考えるプロセスと書くプロセスを分ける

　以上の例で察していただけたかと思いますが、もしあなたの報告書がわかりにくいとすれば、その原因のほとんどは書く前の段階、すなわち

メッセージ構成

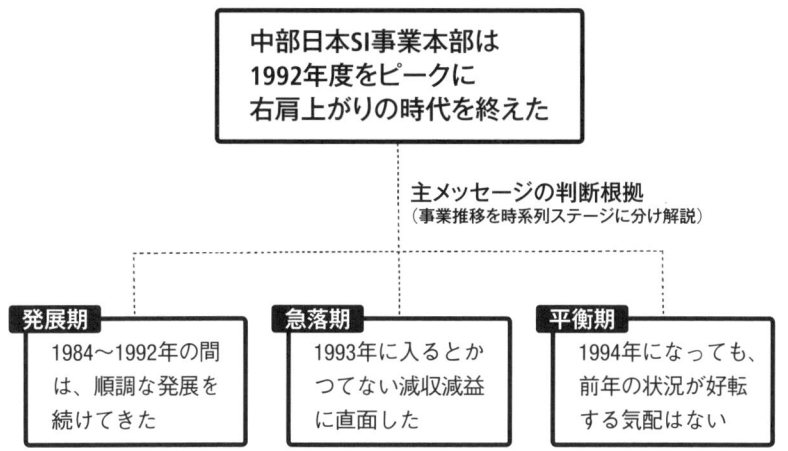

　伝えるべき考えを明快に表現し構成するという「考えるプロセス」にあるのです。

　具体的にどのようなメッセージを伝えようとしているのか。なぜそう言えるのか。そのような考えが明快に表現され構成されていて初めて、わかりやすく説得力のある文書となります。

　構成さえきちんとしていれば、書く段になってあれこれ悩むことはありません。逆に、もし途中で筆が止まってしまうようなら、それはきちんと考えられていない証しです。

　ピラミッド原則は、特定の状況を想定したライティング・フォーマットではありません。また、特定の問題解決のためのテンプレートでもありません。考えを組み立て、チェックするための基礎ツールであり、自分の考えを伝えるすべてのライティングに適用できるものです。だからこそ、世界中で支持されているのです。

　それでは、ビジネス・ライティングの実践方法を具体的に学んでいくことにしましょう。

1章
読み手の関心・
疑問に向かって書く
OPQ分析で読み手の疑問を明らかにする

スピード勝負のビジネスの世界、
相手に時間を無駄に遣わせることほど罪作りなことはありません。
わかりにくい文章、長ったらしい文章、ひとりよがりな文章……
すべてビジネス文書としては失格です。
読み手は何を知りたいと思っているのか、つまり、
読み手の立場に立つことから、すべては始まります。
本章では、「OPQ分析」というシンプルなツールを使って
読み手の疑問を明らかにする方法を学びます。

 ## 読み手は何に関心を持ち、どんな疑問を抱くのか

　そもそも、読み手はなぜあなたの文書を読むのでしょうか。
　ビジネス文書の読み手は常に、自分が関わっているビジネスの状況を改善したいと考えており、そのために何をすべきかと思い悩んでいます。わざわざ文書を読むのは、その答えを探しているからです。
　つまり、読み手の疑問に対する答えこそが、ビジネス文書で伝えるべき考え（メッセージ）なのです。厳しいようですが、それ以外の関心のないテーマについて、いくらあなたが手間暇をかけて書いたところで、その文書は読まれないのです。
　したがって、読み手の理解こそが、説得力あるビジネス文書を書くための最重要ポイントになります。あなたは読み手の関心や疑問を、普段どれくらい意識しているでしょうか。よくあるビジネス文書について、簡単な例で考えてみましょう。

「問題報告書」の場合

　読み手が管理部長だとします。読み手は「効率的な運営を妨げているあらゆる問題要素を取り除く」ことに大きな関心があります。そして現状を見て「なぜこのような問題が発生しているのだろうか？」と疑問を持ち、あなたに調査を指示しました。問題報告書のメッセージは、読み手の疑問に対する答えとなっていなければなりません。

- 読み手の疑問：「なぜこのような問題が発生しているのだろうか？」
- 伝えるべきメッセージ（疑問への答え）：「問題発生の原因は……にあります。なぜそう言えるかというと……」

「販売企画書」の場合

　読み手の営業部長は、「売上拡大をもたらす新たな販売企画の考案」で頭がいっぱいです。すなわち、読み手の疑問は「売上げ拡大をもたらす斬新な販売企画はないだろうか？」です。あなたの書く販売企画書は、この疑問への答えとなるべきです。

- 読み手の疑問：「売上拡大をもたらす斬新な販売企画はないだろうか？」
- 伝えるべきメッセージ（疑問への答え）：「この企画こそが、売上拡大の決め手となりえます。具体的には……」

「セミナーへの案内状」の場合

　読み手は顧客企業の人事部長です。この部長は「人事管理に役立つ最新情報を手に入れる」ことに熱心であり、常に「他業界ではどのような人事管理を導入しているのだろうか？」という疑問を持っています。つい最近の打合せでその話を聞いたあなたは、セミナーの案内通知で以下のメッセージを強調することにしました。

- 読み手の疑問：「他業界ではどのような人事管理を導入しているのだろうか？」
- 伝えるべきメッセージ（疑問への答え）：「最近、多くの業界でABC型人事管理システムが導入され始めています。このセミナーではそのABC型人事管理システムについて……」

　読み手の関心や疑問を理解することは、ビジネス・ライティングの出発点となる重要なポイントです。しっかり頭にたたき込んでください。

 ## 読み手の関心を呼び起こすには

　とはいえ、ビジネスにおいては、「読み手の関心が低いことはわかってはいるが、どうしても伝えたい」または「まだ読み手は気づいていないが、今伝えなければならない」メッセージを書かなければならない場面もあります。読み手の関心と、書き手が書こうとするテーマがかけ離れている場合、どうすればよいのでしょうか。

　この場合も、けっして読み手の関心を無視したまま書いてはなりません。まずは、読み手の関心を呼び起こし、文書のテーマに引きつける努力をしてください。読み手があなたの文書に関心を抱くかどうかは保証できませんが、その可能性はぐっと高まるはずです。

　身近な例で考えてみましょう。

「履歴書に添えるレター」の場合

　某企業の採用担当者宛てに履歴書を送ろうとしているとします。あなたは、読み手が書類選考で私を選び、採用面接の機会を与えてくれるよう、履歴書にレターを添えることにしました。

　ここでの読み手（採用担当者）の疑問は何でしょうか。

- 読み手の疑問：この志願者は面接をするに値する資質を備えているだろうか？
- 伝えるべきメッセージ（疑問への答え）：イエス。私は何事にも全力を尽くすという姿勢では誰にも負けない。たとえば……

　次に、新卒採用の予定しかない消費財メーカーに、中途採用を希望す

るあなたが履歴書を送付するとします。この場合、新卒採用しか関心のない人事部長の頭の中に、「優秀であれば、一人くらい中途採用がいてもよいかもしれない」という新たな関心を持たせ、「彼はそうした例外を認めるに足る資質を持った人間だろうか？」という疑問を引き起こす努力が必要になります。

- 読み手の疑問：優秀であれば、一人くらい中途採用がいてもよいかもしれない。彼はそうした例外を認めるに足る資質を持った人間だろうか？
- 伝えるべきメッセージ（疑問への答え）：イエス。私は変化の激しい消費財分野のシステム開発の経験を通じ、この分野に大きな将来性を見出している。具体的には……

　たとえ新卒採用を基本としている会社であっても、激変する環境に合わせてビジネスを行わなくてはならないことに変わりはありません。人事部長であれば、常にそうした変化に対応できる人材の育成や確保に目を光らせているはずです。
　このような読み手の頭の中に眠っている潜在的な関心や疑問を目覚めさせることが、ドアを開いてもらうためのカギになります。そうした工夫を加えたレターを添えるだけで、面接してもらえる確率がぐっと上がるでしょう。ご参考までに、次ページにレターの文例を挙げました。
　書こうとするテーマが読み手の関心から離れている場合、読み手の立場に立って考え、関心を引きつける努力をすることが重要です。

レター（例）

採用担当者殿

私は中途採用の面接を希望する山本一郎と申します。現在、御社が中途採用の予定がないことを承知の上で、履歴説明書を同封させていただきました。

御社のみならず多くの会社がゼロ・ベースから社員を育成したいという考えで新卒採用を原則としていることはよく理解しております。しかし一方で、御社が身を置く消費財分野はとりわけ情報システムの変化が激しく、過去にとらわれない発想が求められているのではないかとも考えております。

私は5年間、IT業界にて情報システムの開発に携わってきました。とりわけ、過去1年は消費財分野のシステム開発に携わり、この分野における情報システムの変化の激しさに目を見張るとともに、大きな将来性を感じています。

大変にぶしつけなお願いであることは承知しておりますが、もし少しでも外部の経験や視点を活用する価値と可能性があるとお考えでしたら、ぜひ、私に中途採用面接の機会を与えていただきたくお願い申し上げます。

「クライアントへの提案書」の場合

　面識のあるクライアント企業の社長に、ある思い切った提案をしようとしている場合を想定します。

　読み手である社長は「短期的な売上拡大に大きな関心」を持っていることをあなたは知っています。しかし、あなたは「短期的な売上げ拡大には直接的に貢献しないが、中長期的にはとても重要になる流通効率化の提案」をしようとしています。しかも、その流通効率化は、「今すぐ着手することが重要である」と考えているとします。

　おそらく、言いたいことをストレートに提案しても、とうてい読んでもらえないでしょう。短期的な売上拡大で頭がいっぱいの読み手に、関心外の提案書にじっくり目を通す余裕などないのです。この場合、先の履歴書の例と同じように、あなたの書こうとするテーマに向かって、読み手の関心と疑問を呼び起こす努力が必要になります。

　相手は社長なのですから、たとえ短期的に結果が見えなくても、会社の将来を左右する問題には関心があるはずです。社長と何度か顔を合わせたときの会話の内容、先方企業の他の社員の言動など、思いつく限りの情報を駆使して、読み手の状況を推し量ってみてください。それらをベースに、社長の潜在的な関心や疑問を呼び起こす工夫をします。

　たとえば、提案書のカバーレターに、次ページのような文書を付け加えるだけでも効果があるかもしれません。

提案書のカバーレター（例）

……社長

社長の現在の最大の関心事がこの1～2年の売上拡大であることは十分に承知しております。大変恐縮ですが、今回、ここに提案させていただく流通効率化は短期の売上拡大に直接貢献するものとは言えません。

しかし、今、この時点で、この流通効率化に着手するということは、今後3～5年の視点で見た場合、御社の事業成長に大きな影響を持つことになると確信しております。しかも、着手のタイミングがとても重要な意味を持っています。

たとえば、御社のライバル企業A社は、半年前から既存流通の合理化に着手しており……

よくある質問

Question

読み手の疑問に向かって答えるのが
ビジネス文書といいますが、
読み手が複数いる場合はどうするのですか？

Answer

　読み手の疑問に向かって書くのが、説得力のある文書を書くための基本です。厳密に言えば、読み手の疑問は一人ひとり異なるので、たとえば10人を説得しようと思えば、文書を10通り書き分けるのがベストです。とはいえ、それは現実的ではありません。

　とりわけ、プレゼンテーションでは、聴衆（読み手）は必ず複数になります。提案内容について知識のある人に伝えるのと、そうではない人に説明するのでは、目次構成から使う言葉までおのずと異なってきます。

　結論から言えば、読み手を絞らないまま漠然と書いても、誰一人説得することはできません。複数の読み手が存在する場合には、漠然と書くのではなく、ターゲットとする読み手を具体的に設定してください。

　では、誰をターゲットとすればよいのでしょうか。たとえば、最も役職の高い人か、役職とは関係なく実質的な影響力を持っているキーパーソンか、平均的な知識を持っている人か、最も知識が浅い人か、などです。大切なのは「読み手が誰か」を考えることです。

# 読み手の疑問を明らかにする「OPQ分析」

　問題を正しく定義できれば、問題の半分以上は解決できたようなものだとよく言います。同じように、読み手の状況や疑問を正しく理解できれば、ライティングの半分は成功したと言ってもよいでしょう。

　さて、上司への社内レポートを書く場合と、顧客へのレポートを書く場合、内容レベルが同じでも、顧客向けに書く方が格段に難しいと思いませんか。それは、上司よりも顧客の疑問を理解する方がはるかに難しいからです。

　上司とはしばしば顔を合わせていますから、どんな疑問を持つかは推測しやすいでしょう。しかし、同じ社内でも他部門の人、社長や取締役など偉い人に書く場合、あるいは、社外の顧客に文書を書く場合には、読み手の疑問を知るのはそう簡単ではありません。読み手の状況がすぐに理解できないからです。

　そこで必要となるのが、読み手の疑問を理解し、確認する「読み手分析」です。

　バーバラ・ミント女史の『新版 考える技術・書く技術』では、SCQ分析を提案しています。S（Situation：状況）は現在に至った状況、C（Complication：複雑化）は状況の変化を総称しており、そこから読み手のQ（Question：疑問）を考える方法です。ただ、ビジネスに限らずすべての文書に通じる汎用的なものを目指しているだけに、やや複雑に感じられる部分があります。

　そこで本書では、ビジネス文書に的を絞ったもっとシンプルな方法として「OPQ分析」をご紹介します。

　「OPQ分析」は、ビジネスシーンで最も必要とされる問題解決を重視し

た、いわばSCQ分析の簡易版です。以下、OPQ分析について、簡単に説明します。

O:Objective（望ましい状況）

「O」とは、読み手が目指している望ましい状況（Objective）です。そもそも読み手が現在の状況に至ったのには何らかの経緯があり、読み手はその流れの中でよりよい状況を求めています。「O」は読み手が考えている達成すべき目標や改善後の姿などを指します。

P:Problem（問題、すなわち現状とObjectiveとのギャップ）

「P」とは、現状と「O」（望ましい状況）のギャップ、すなわち解決すべき問題（Problem）のことです。いわゆる「困った状況」のみを指しているのではありません。現状もそこそこよいが目標がもっと高いといった場合も、そのギャップは「P」と定義します。ここで忘れてはならないのが、問題とは、あくまで読み手にとっての問題だということです。

Q:Question（読み手の疑問）

「Q」とは、問題「P」に直面した読み手が、その解決に向けて自然に抱くだろう疑問（Question）のことです。ここでも、読み手の視点をキープします。書き手の疑問を押しつけてはなりません。

A:Answer（答え／文書の主メッセージ）

　読み手の疑問「Q」に対する答え（A：Answer）が、そのまま文書の主メッセージとなります。大切なのは、「Q」に忠実に答えるということです。ここでいきなり、OPQの流れを無視するような答えを提示しないよう注意してください。

レール（トピック）

　望ましい状況と現状を比較する際に大切なことは、同じモノサシ（すなわち、同じレール上）で比べるということです。このレールが、文書のトピック（テーマ、主題）になります。後で詳述しますが、これが簡単そうに見えて案外くせものです。いざ問題を目の前にすると、一つひとつの理解や分析に夢中になってしまうため、レールがずれていても案外気づかないのです。

OPQ分析のイメージ（例）

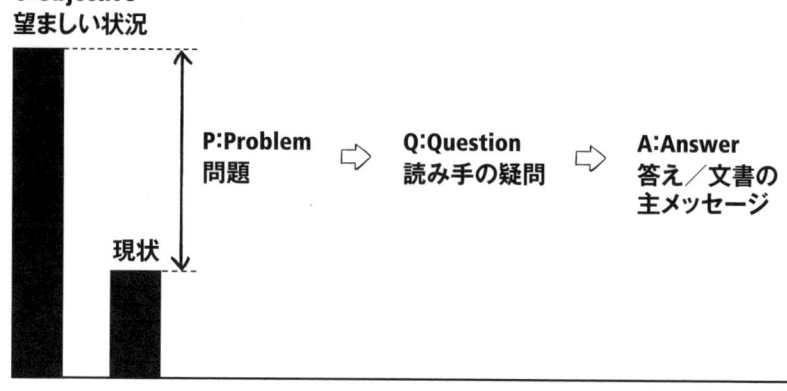

　次ページより、OPQ分析の感覚をつかむための練習問題を3つ用意しました。問題の設定とポイントを読んで、ご自身でOPQ分析に挑戦してみてください。簡単な回答例も挙げています。きちんと読み手の立場を理解しているか、OPQをつなぐレール（トピック）がずれていないかなど、チェックしてください。

> 練習問題① 売上目標の達成

　山田社長は1年前に就任した新任社長です。売上拡大に意欲的で、就任後すぐに「3年後に売上50%アップ」を目指す一大プロジェクトを立ち上げました。大胆な数字ですが、経営陣一同が練りに練った計画で、皆、十分に達成可能だと考えていました。
　ところが、プロジェクト開始から半年も経たないうちに、上昇軌道にあった売上にブレーキがかかり始めました。このままでは目標達成が危ぶまれます。そこで、経営コンサルタントであるあなたに分析を依頼してきました。
　読み手は山田社長です。山田社長の立場で、OPQとレール（トピック）を考えてください。

ポイント

　読み手の立場にどこまでなりきれるかが、勝負です。実際にコンサルタントであれば、山田社長をはじめとする関係者に可能な限りのヒアリングを行い、OPQを明らかにしていきます。

回答例

　レール（トピック）：売上目標

- **O（望ましい状況）**：「設定した売上目標を達成する」
- **P（問題）**：「上昇軌道にあった売上にブレーキがかかったために、目標達成が危ぶまれる」
- **Q（読み手の疑問）**：Pから発生される読み手の疑問はいくつか考えられます。読み手の状況をしっかりと調査し、最も適切な疑問を探します。

（例）

「売上目標を達成するにはどうすればよいか？」

「売上目標を下方修正すべきか？」

● A（答え／文書の主メッセージ）：

（例）

「売上目標を達成するためには、……すべきである」

「売上目標は、今は修正すべきではない」

OPQ分析のイメージ（例）

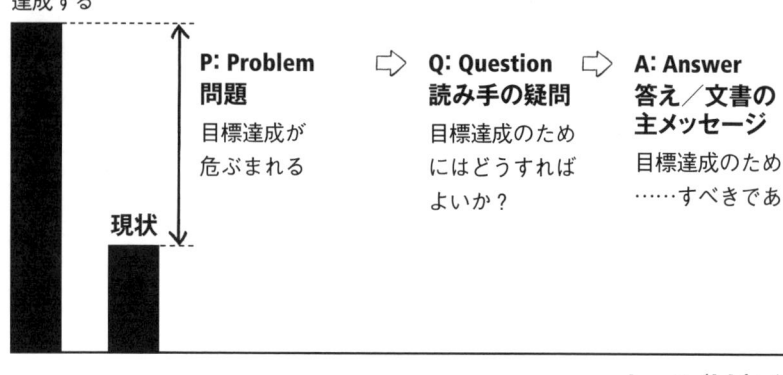

練習問題② 不良資産の発覚

　非上場メーカーX社の副社長である鈴木氏は、1年前に某銀行から迎えられた管理部門担当副社長です。銀行出身の鈴木副社長は、何よりも健全な財務体質を維持することを最優先にしています。

　しかし、副社長就任から半年、自ら陣頭指揮した内部監査で、まったく予期せぬ不良資産100億円の存在が発覚しました。調べを進めると、この不良資産は10年以上前のある出来事に端を発したもので、それが徐々に拡大していったものであることが判明しました。

　鈴木副社長は、右腕である経営企画部門のあなたに今後の解決策を考えるよう命じました。副社長の立場で、OPQを考えます。

> **ポイント**

　上記の設定から想定できるOPQは、1パターンではありません。何をレールとするかによって異なってきます。
　以下に回答例を2つ挙げました。

> **回答例①**

レール（トピック）を、「不良資産そのもの」とした場合
- O（望ましい状況）：「健全な財務体質を維持する」
- P（問題）：「不良資産100億円の存在が明らかになった」
- Q（読み手の疑問）：「どうやってこの不良資産を処理すべきだろうか？」
- A（答え／文書の主メッセージ）：「この不良資産は……の方法で処理すべきである」

> 回答例②

レール（トピック）を「不良資産の監視体制」とした場合

- O（望ましい状況）：「健全な財務体質を維持する」
- P（問題）：「100億円もの不良資産の存在が、10年間見過ごされてきた」
- Q（読み手の疑問）：「どうすれば、今後、このような不良資産の見過ごしがなくなるだろうか?」
- A（答え／文書の主メッセージ）：「今後、このような不良資産の見過ごしを防ぐために、……のシステムを導入すべきである」

以上のように、レール（トピック）の設定が異なれば、OPQもまったく異なるものとなります。実践では関係者と可能な限りのヒアリングを行い、読み手が本当に問題としているレール（トピック）は何なのか、読み手が抱えているOPQは何なのか、最も適切と思われるOPQを発見します。そうでなければ、見当違いのレポートに終わってしまいかねません。

読み手の立場に立つことがなぜ重要なのか、おわかりいただけると思います。

練習問題③　在庫削減か、売上げ増か

　最後に、OPQ分析を行ううえで最も犯しやすい間違いについて、考えてみましょう。以下のOPQは何が問題かわかりますか？

- O（望ましい状況）：「在庫を削減する」
- P（問題）：「売上が低迷しているのが問題である」
- Q（読み手の疑問）：「売上を増大させ、在庫を削減するにはどうすればよいか？」

　このOPQでは、比較のレール（トピック）が在庫なのか売上げなのかが明快でないために、読み手の疑問を明確にできていません。比較のレールをごちゃ混ぜにしてしまうというよくある間違いです。
　読み手の疑問が曖昧だったり、違うトピックが混在していたりすると、具体的な答えを導き出すことができません。上記で言えば、売上増大策について答えればよいのか、在庫削減策について検討しなければならないのか、返答に窮してしまいます。
　以下に2つ、修正例を挙げます。

修正例①

レールを「在庫」とした場合

- O（望ましい状況）：「在庫を削減する」
- P（問題）：「在庫が急増した」
- Q（読み手の疑問）：「在庫を削減するにはどうすればよいか？」
- A（答え／文書の主メッセージ）：「在庫削減のためには……するのがベストです」

> 修正例②

レールを「売上」とした場合
- O（望ましい状況）：「売上を増大させる」
- P（問題）：「売上が低迷している」
- Q（読み手の疑問）：「売上を増大させるにはどうすればよいか？」
- A（答え／文書の主メッセージ）：「売上を増大させるために……を提案します」

このように、読み手の疑問が具体的になれば、答えも具体的になります。ちなみに、設定したレールが今書こうとしているレポートのタイトルを導きます。たとえば、修正例①であれば「在庫削減策」、修正例②であれば「売上増大策」といったものになるでしょう。

一方、冒頭の「悪い例」の場合は、QもAも何が言いたいのか曖昧なだけに、レポートタイトルもつけにくいはずです。レール（トピック）がずれたり、混在したりしていないか、注意してください。

OPQ分析のコツ

　最後に、OPQ分析のコツをおさらいします。読み手の理解はライティングの最重要事項です。「君の文書はちょっと自分本位だね」「もう少し読み手の立場に立って書いてくれ」などと言われたことのある人は、以下のポイントをもう一度確認しましょう。

コツ1：すべて読み手の視点で表現する

　まずは読み手をしっかりとイメージし、読み手のO、読み手のP、読み手のQを考えます。読み手のOPQがいまひとつわからないときは、読み手に直接聞くなり、第三者を通して探りを入れるなり、情報収集に努めてください。読み手のOPQがわからない限り、説得力のある文書を書くことはできません。

コツ2：比較のレール（トピック）を外さない

　レールがずれていると、目標と現状を比較できません。レールはそのまま、文書のトピック（テーマ）となります。比較のレールが何かを明確に意識してください。

コツ3：文書の主メッセージはQに直接答える

　OPQ分析の主目的は、読み手の疑問を明確にすることにより、どのような答えが求められているか、すなわち、どのような文書メッセージが求められているかを明らかにすることです。言い換えれば、文書メッセージが読み手のQに直接答えていないと、この目的を果たすことができません。以下の悪い例と修正例を見比べてください。

Q：売上を増大させるにはどうすればよいか？
A（悪い例）：売上低迷の最大の原因は……である
A（修正例）：売上を増大させるためには……すべきである

Q：なぜ売上が低迷しているのだろうか？
A（悪い例）：売上低迷原因解明のために、コンサルティング会社を雇うべきだ
A（修正例）：売上低迷の最大の原因は……である

Q：東南アジア市場にビジネスチャンスはあるだろうか？
A（悪い例）：東南アジアに進出するには現地パートナーとの提携が不可欠だ
A（修正例）：東南アジア市場にビジネスチャンスはあると判断する

　Aが読み手のQに直接答えていない場合、Aがおかしいか、Qがおかしいか、あるいはその両方です。
　さて、あなたが導き出した答え（主メッセージ）は、読み手のQに直接答えているでしょうか。

よくある質問

Question

読み手の立場に立つ、読み手を理解するという作業は、そう簡単ではないように思います。どのようなことに注意すればよいのでしょうか?

Answer

　読み手理解がそう簡単な作業ではないことに気づけば、それだけでかなりの進歩です。さらに3つ、ポイントを示します。

自分勝手な文書に気づく

　一般論ですが、歳をとり、社内の地位が上がり、多くの部下を持つようになると、読まねばならない社内文書や報告書の量が確実に増えてきます。何十人もの部下を抱える身になると、実に膨大な量の報告書やメモに目を通さねばなりません。そうなると、わかりにくい文書の存在は仕事上のボトルネックになってきます。

　筆者に研修を依頼する企業幹部は口を揃えて「読み手のことを考えない自分勝手な文書が多すぎる」と嘆きます。しかし、中堅・若手社員は読むよりも書く機会の方が多いせいもあり、「読み手（上司）は自分よりもはるかに多くの文書や報告書を読まねばならない」という簡単な事実になかなか気づくことができません。

　では、自分勝手な文書にどうすれば気づくことができるのでしょうか。まず、あなた自身が毎日受け取っているメールを見てみましょう。長い、わかりにくい、など不満を感じるものがあるはずです。それらはすべて、読み手のことを考えていないメールです。どうしてこんなメールを書く

のかと考えてみれば、実はあなたも同じようなメールを書いていることに気づくでしょう。「人のふり見てわがふり直せ」です。

　感情的なメールや失礼なメールを受け取ったら、自分もこんなメールを書いているのでは……という警告として受け止めましょう。自分への教育的メッセージだと解釈すれば腹も立ちません。

　こうした自分勝手なメールのほとんどは、書いた後に見直すことなく送信されたものです。メールは送信前に必ず読み返してください。重要なのは、読み手の視点で読み返すということです。

「読み手はこれで言わんとすることを理解するだろうか？」
「これで納得するだろうか？」
「他に何か疑問を持たないだろうか？」

　このように自問自答し、少しでも疑問が出たら迷わず書き直します。内容的に問題がありそうならば、ピラミッドに戻って書き直します。

読み手を主語にして「書く目的」を考える

　読み手を主語にして「書く目的」を考えることにより、考えの中心軸を読み手にセットすることができます。たとえば、あなたが上司に新規事業の企画書を提出するとします。書く目的は「企画を了承してもらう」ことです。これを、読み手を主語にして表現してみましょう。

　　書く目的：読み手（上司）が、喜んでこの企画内容に合意する
　　→　読み手（上司）は、この企画書をじっくりと読む時間があるだろうか？
　　→　読み手（上司）は、今、何に関心があるだろうか？
　　→　読み手（上司）は、この企画書の内容をどこまで理解できるだろうか？
　　→　読み手（上司）は、この企画書にどのような反応を示すだろうか？

試しに、最近書いたビジネス文書やメールを思い浮かべ、読み手を主語にして「書く目的」を書き出してみてください。難しく感じたなら、おそらくライティングが自分中心になっています。しかし、これも慣れです。いつも読み手を主語にして考えていれば、読み手のOPQを楽に発見できるようになります。

読み手を理解する

さらに言えば、読み手を理解するには、日常の心がけが欠かせません。上司向けに報告書をよく書く人は、可能な限り上司からの食事の誘いに付き合い、上司の立場や考えを理解するようにします。そうすれば、いざ報告書を書く時に、上司の視点でOPQを考えやすくなります。

顧客に提案書を書く場合も同じです。常日頃から顧客とのコミュニケーションを密にし、顧客の関心や疑問を意識するようにします。もしあなたが大学生ならば、仲間と一緒に教師をランチに誘い、学生のレポートに何を期待するのかを尋ねてみましょう。まずは読み手の関心や疑問を知る努力から始めます。机の前で唸っていても、何も始まりません。

経営コンサルタントもマネジャー・クラスになると、頻繁に顧客と接し、時に食事をともにしながら顧客の本音を理解するように努めます。顧客の理解は、調査分析作業よりも重要と言えるかもしれません。ライティングはパソコンに向かうはるか前の段階で始まっているのです。

★　　　★　　　★

読み手を理解することの大切さ、文書で書くべきメッセージは読み手の疑問への答えであるという意味、OPQツールの使い方を理解できたでしょうか。それでは、いよいよ「メッセージ」そのものに移ります。

2章
考えを形にする
メッセージを絞り、グループ化する「ピラミッドの基本」

何を伝えたいかが一目でわかる、
メッセージの全体像がすっきりとわかる……
忙しい読み手が望んでいる文書は常にシンプルです。
それには、このビジネス文書で最も伝えたいことは何かを
書き手自身が明確に認識していなければなりません。
どんな考えもアイデアも、最初は混沌としていて
とりとめのないものです。
メッセージの絞り方、グループ化の仕方などを通じて
考えを具体的な形にしていく方法を学びます。

メッセージの構造を明らかにする

　だらだらとやたら長ったらしい文書……想像しただけでも読みづらそうですね。ビジネス文書は、言いたいことが何なのか、全体としてどういう構造になっているのかが、一目でわかるものでなければなりません。それにはまず、書き手自身の手で考えの構造を整理しておく必要があります。

● 一度に覚えられる数には限界がある

　本書では、読み手に伝えようとしている考えを「メッセージ」、なかでも、その文書で最も伝えたいメッセージを「主メッセージ」と呼んでいます。OPQ分析の項で見たように、読み手の疑問（Q）に対する直接の答え（A）を見つけ、それを主メッセージにします。さて、読み手は主メッセージを読んですぐに納得してくれるでしょうか。たいていの場合、「なぜそんなことが言えるのか」「具体的にはどうすればよいのか」など、さらなる疑問を持つはずです。

　右の図を見てください。あなたが「私は……だと判断する」という主メッセージを提示し、読み手は「なぜそう判断できるのか」というさらなる疑問を持ったとします。あなたはこの疑問に答えるために10の根拠を挙げました。

　しかし、読み手の立場で見ればわかるとおり、10も根拠を挙げられても混乱するばかりです。根拠の数が多すぎるために、すぐに全体を理解できないからです。

主メッセージと10の根拠

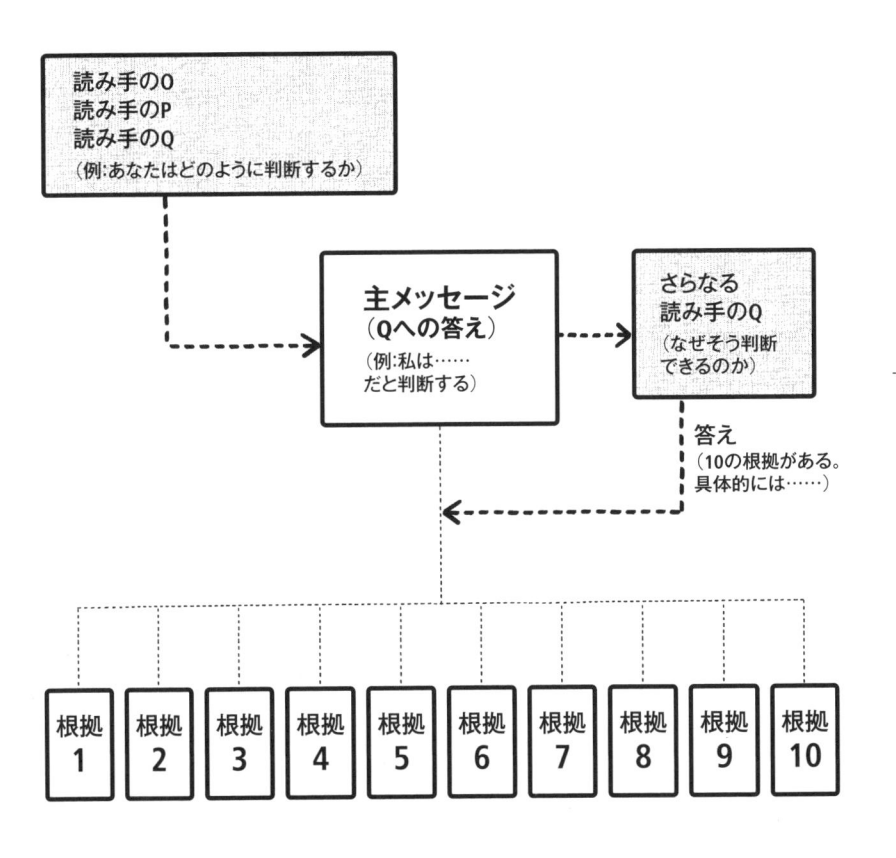

```
┌─────────────────────┐
│ 読み手のO           │
│ 読み手のP           │
│ 読み手のQ           │
│ (例:あなたはどのように判断するか) │
└─────────────────────┘
           ╲
            ╲
             ▼
        ┌──────────────┐         ┌──────────────┐
        │ 主メッセージ │ ──────> │ さらなる     │
        │ (Qへの答え)  │         │ 読み手のQ    │
        │ (例:私は……  │         │ (なぜそう判断│
        │ だと判断する)│         │ できるのか)  │
        └──────────────┘         └──────────────┘
               ▲                         │
               │                         │ 答え
               │                         │ (10の根拠がある。
               │                         │ 具体的には……)
               └─────────────────────────┘
```

根拠1　根拠2　根拠3　根拠4　根拠5　根拠6　根拠7　根拠8　根拠9　根拠10

「何かを認識するとき、ぼくたちは物事を様々なグループやカテゴリーに仕分けする。……（中略）……牛は牛舎に、馬は厩に、豚は豚小屋に、鶏は鳥屋に入れる。……（中略）……これと同じことを、ぼくたちは頭のなかでもしているんだよ」

これは、1995年に哲学ブームを巻き起こしたヨースタイン・ゴルデルのベストセラー、『ソフィーの世界』（池田香代子訳、日本放送出版協会）に登場する、アリストテレスの論理学者としての言葉です。

冒頭の「何かを認識するとき」に注目してください。これは情報を受け取る人（文書でいう読み手）についての言葉です。要するに、「情報を受け取った人は、それを理解するために、脳が自動的にグループ化やパターン化を試みる」ということです。なぜ脳がそんな働きをするかと言えば、人間は一度に理解できる考えの数に限界があるからです。

1956年にアメリカの認知心理学者、ジョージ・ミラーは有名な論文「マジックナンバー7、プラス／マイナス2」の中で、人間が短期記憶できる考えの数は7±2（すなわち、5～9）であるという研究結果を発表し、大きな話題を集めました。すなわち、普通の人間が一度に理解できる（短期処理できる）考えの数は「7±2」が限度であるということです。ちなみに、ライティングの世界では安全を取り、下限である「5」を限界の数とするのが一般的です。

情報の受け取り手の頭の中は、内容を理解するために受け取った多くの情報をグループ化（パターン化）し、理解可能な考えの数に収めようとする……それならば発信者が予め情報をグループ化して伝えれば、読み手の負担はぐっと減るはずです。

先ほどの「10の根拠」を例にグループ化を行おうとすると、右ページの図にあるように、情報（メッセージ）の構造は自然とピラミッド型になります。

10の根拠をグループ化する

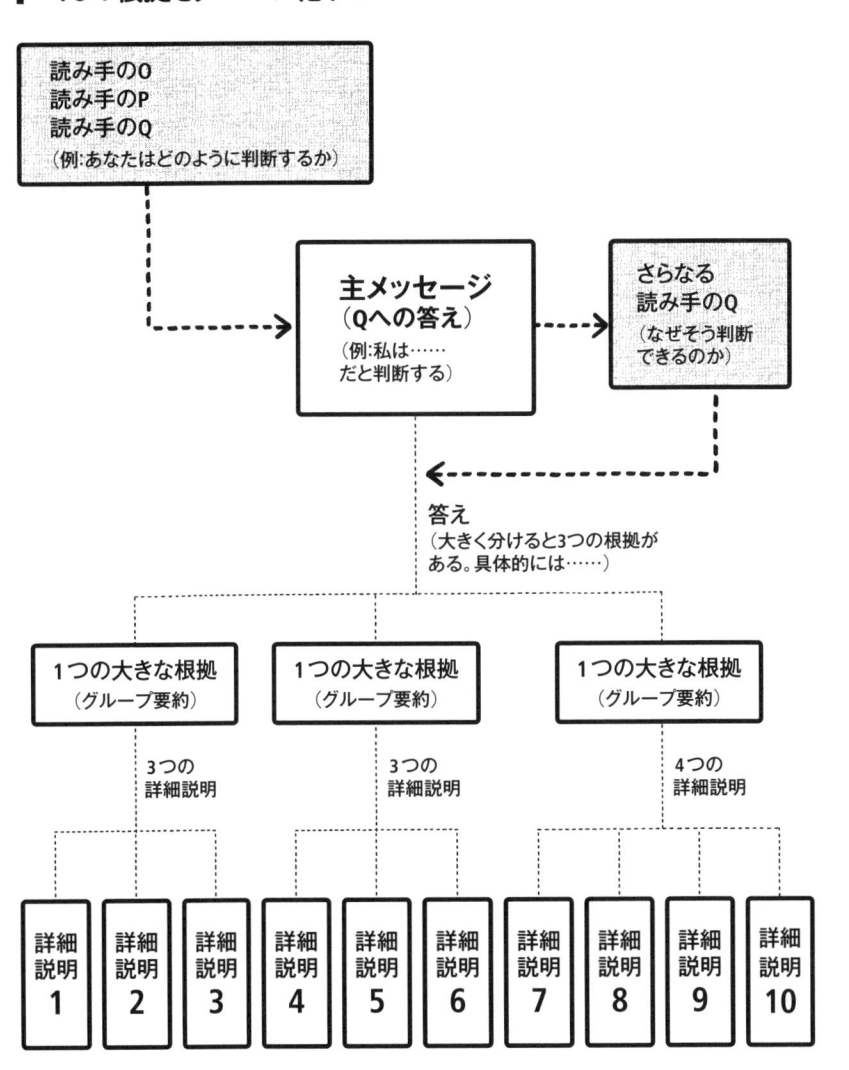

```
読み手のO
読み手のP
読み手のQ
（例：あなたはどのように判断するか）
```

↓

主メッセージ（Qへの答え）
（例：私は……だと判断する）

→ **さらなる読み手のQ**（なぜそう判断できるのか）

↓

答え
（大きく分けると3つの根拠がある。具体的には……）

- **1つの大きな根拠**（グループ要約） — 3つの詳細説明
  - 詳細説明1
  - 詳細説明2
  - 詳細説明3
- **1つの大きな根拠**（グループ要約） — 3つの詳細説明
  - 詳細説明4
  - 詳細説明5
  - 詳細説明6
- **1つの大きな根拠**（グループ要約） — 4つの詳細説明
  - 詳細説明7
  - 詳細説明8
  - 詳細説明9
  - 詳細説明10

考えを形にする

◉ メッセージ構造をそのまま文書へ

　もうおわかりかと思いますが、ピラミッド型に組み立てたメッセージ構造は、そっくりそのまま文書構造になります。レポートであれ、ビジネス文書であれ、自分の考えを伝える文書では、メッセージ構造がそのまま文書構造になるのです。

　文書の主メッセージは、読み手の疑問に対する答えです。1つに絞り込むことにより、明快かつ強力に相手に印象づけます。もしメッセージを1つに絞り込めないようであれば、それは最初から2つ以上の文書に分けて書くべきです。

　同じ理由で、章や段落といった下部メッセージについても、1つに絞り込みます。その構造をシンプルに示したのが、右の図です。

　要するに、文書全体の主メッセージであろうと、章や段落のメッセージであろうと、同じ固まりに2つのメッセージが存在するようであれば、それは最初から2つに分けるべきなのです。わざわざ章や段落を別にするのは、そこで伝えたい1つのメッセージがあるから、つまり、メッセージが異なるからです。

- 文書全体で伝えたい考え⇒1つの文書メッセージ（主メッセージ）
- 各章で言いたいこと⇒1つの章メッセージ
- 各段落で言いたいこと⇒1つの段落メッセージ

「文書構造＝メッセージ構造」を強く意識してください。

文書とメッセージ構造

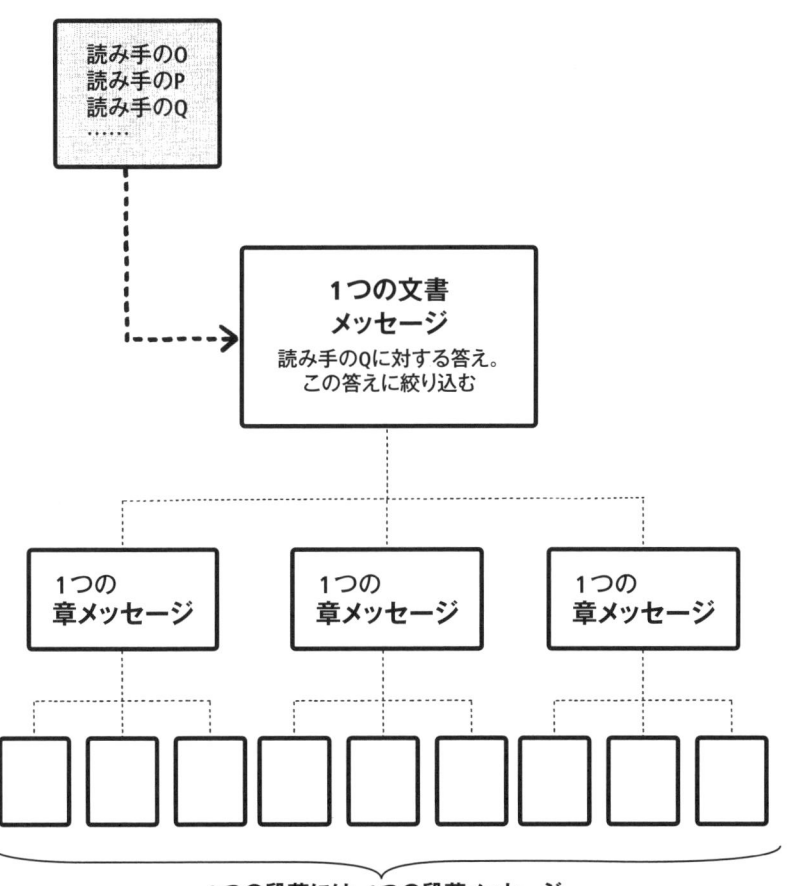

```
┌─────────────┐
│ 読み手のO   │
│ 読み手のP   │
│ 読み手のQ   │
│ ……          │
└──────┬──────┘
       ┊
       ┊
       ▼
┌──────────────────────┐
│    1つの文書         │
│    メッセージ        │
│                      │
│ 読み手のQに対する答え。│
│ この答えに絞り込む   │
└──────────┬───────────┘
           │
   ┌───────┼───────┐
   │       │       │
┌──────┐┌──────┐┌──────┐
│1つの ││1つの ││1つの │
│章メッ││章メッ││章メッ│
│セージ││セージ││セージ│
└──┬───┘└──┬───┘└──┬───┘
 ┌─┼─┐   ┌─┼─┐   ┌─┼─┐
 □ □ □   □ □ □   □ □ □
```

1つの段落には、1つの段落メッセージ

グループ化と要約メッセージ

　考えを組み立てるプロセスには、2種類の作業があります。「要約メッセージを探す」作業と、「グループを作る」作業です（右ページの図を参照）。

①グループ化し、要約メッセージを探す

　複数のメッセージを1つのグループにくくり、そのグループを象徴する1つのメッセージ（要約メッセージ）を見つけ出す。

②メッセージに従って、グループを作る

　ある1つのメッセージについて、その根拠や説明となるメッセージ（支持メッセージ）のグループを作り出す。

　どちらかだけでOKというものではなく、2つの作業で相互チェックをかけながら考えを組み立てていきます。たとえば、グループ化が曖昧だと明快な要約メッセージは作れませんし、曖昧なメッセージに従ってグループ作りをしようとしても説得力のあるグループはできません。要するに、「グループの要約メッセージを見つける作業は、グループを作る作業と同じ」なのです。

　「グループ化」と「要約メッセージ」はピラミッドの要です。50ページからの練習問題でしっかり身につけてください。

要約探しvs.グループ作り

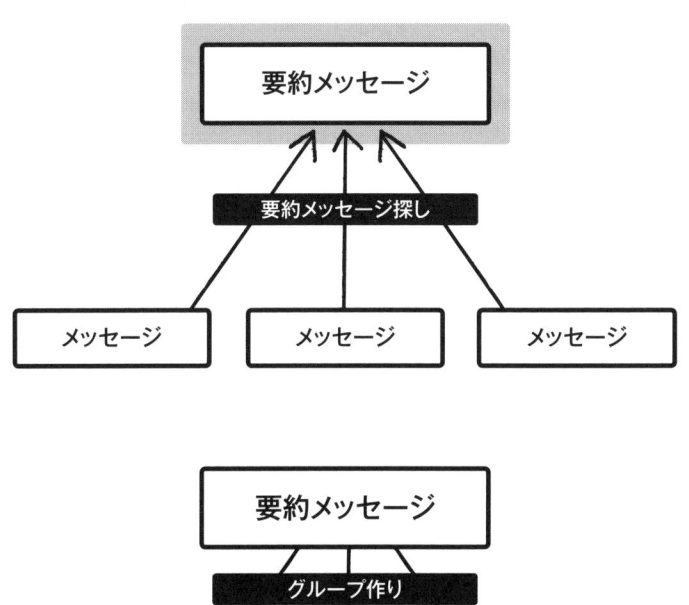

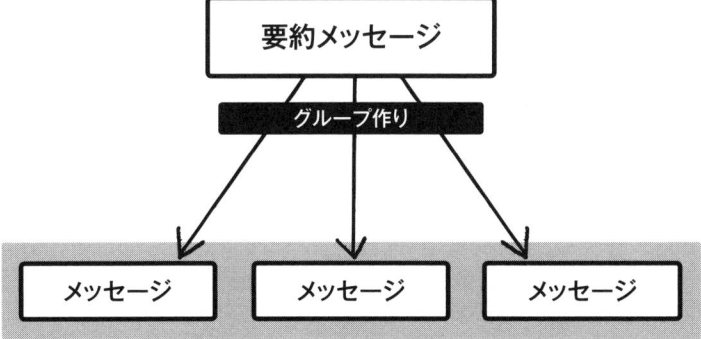

```
        ┌──────────────────┐
        │   要約メッセージ   │
        └──────────────────┘
            ↑    ↑    ↑
        ┌──────────────────┐
        │  要約メッセージ探し │
        └──────────────────┘
         ╱     │      ╲
  ┌────────┐┌────────┐┌────────┐
  │メッセージ ││メッセージ ││メッセージ │
  └────────┘└────────┘└────────┘
```

```
        ┌──────────────────┐
        │   要約メッセージ   │
        └──────────────────┘
        ┌──────────────────┐
        │    グループ作り    │
        └──────────────────┘
          ↓     ↓     ↓
  ┌────────┐┌────────┐┌────────┐
  │メッセージ ││メッセージ ││メッセージ │
  └────────┘└────────┘└────────┘
```

| 練習問題④ | **図形のグループ化**

　AからFまで、6つの組み合わせ図形があります。これを2つか3つにグループ分けしてみましょう。どんな分け方でもかまいません。
　グループ分けが終わったら、それぞれのグループに名前をつけてください。

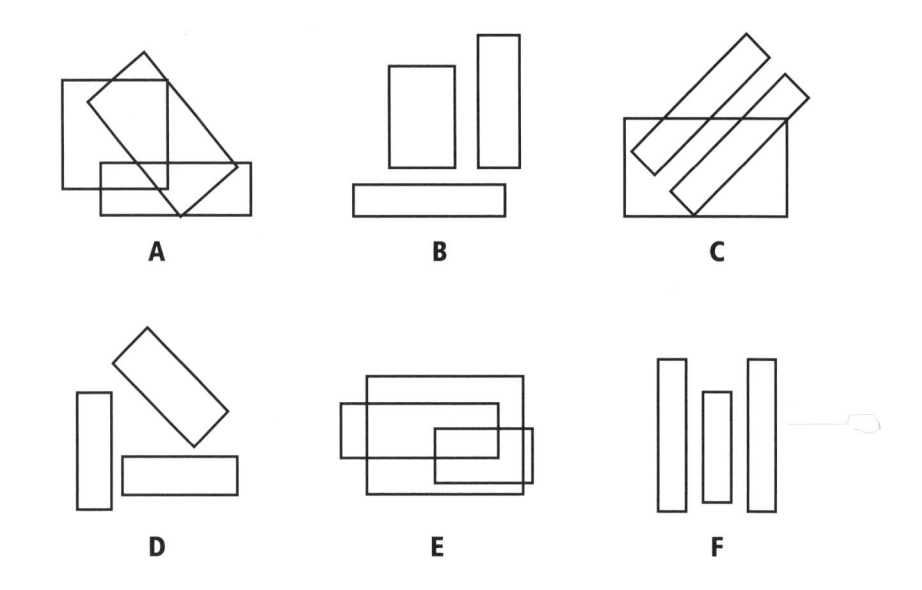

A　　　　　　　**B**　　　　　　　**C**

D　　　　　　　**E**　　　　　　　**F**

　いかがでしたか。もちろん、回答は1つではありません。以下に2つばかり、典型的な例を挙げましょう。

| 回答例① |

　「A・C・E」の3つが「重なっている」という共通特性に着目すると、「重なっているグループ」と「重なっていないグループ」に分けることができます。

- グループ分け：①「A・C・E」、②「B・D・F」
- グループ名　：①「重なりグループ」、②「分離グループ」

> 回答例②

「A・C・D」に斜めの長方形が含まれているという共通特性に着目すると、「斜め（配置の長方形が含まれる）グループ」と「まっすぐ（配置）グループ」といったグループに分けることができます。

- グループ分け：①「A・C・D」、②「B・E・F」
- グループ名　：①「斜めグループ」、②「まっすぐグループ」

すでにお気づきのように、グループ化した根拠そのものがグループ名、すなわち要約メッセージとなります。グループ化の根拠とグループの要約メッセージは、同じものだということです。

回答例①で言えば、『A・C・Eグループの要約メッセージが「重なり」になる』、ということは、とりもなおさず、『「重なり」というメッセージでグループを作ると、そのグループのメンバーはA・C・Eになる』ということを意味するのです。

48ページで「グループの要約メッセージを見つける作業は、グループを作る作業と同じ」と述べたのは、そういう意味です。

● メッセージが一般論にならないようにする

　要約メッセージとは、グループ化した根拠、すなわちグループ内のメッセージ群に共通する「特定の意味」を拾い出すものです。にもかかわらず、いざ要約メッセージを具体的に表現しようとすると、多くの人が、すべてをカバーできそうな包括的・抽象的な言葉を選んでしまいがちです。

　しかしそれでは、メッセージが単なる一般論になってしまいます。何か言っているようで何も言っていないに等しい、聞くまでもないメッセージというわけです。当然、相手に何も伝わりません。たとえば、こんなイメージです。

　「東京」「ローマ」「オタワ」「キャンベラ」の要約メッセージは？
　×「大都市」は間違い。
　○「首都」が正解です。

　要約メッセージとは、グループ化の根拠（各メッセージに共通する特性など）をハイライトしたものです。すべてを包括しようとすると、要約メッセージが抽象的な一般論になってしまいます。それでは意味がありません。

　ともあれ、これは「習うより慣れろ」です。次ページから簡単な練習問題を4つ出しますので、感覚をつかんでください。

練習問題⑤　書名リスト

以下に、4つの項目が1つのグループとしてリストされています。このグループにどのような名前をつけるでしょうか。

- ノルウェイの森
- 1Q84
- ねじまき鳥クロニクル
- 海辺のカフカ

グループ名を「本の名前」とした方はいますか？　たしかに4つとも本の名前ですが、グループ名としては間違いです。世の中に星の数ほどある本の中で、なぜこの4つが1つのグループなのか。その根拠を考えなければなりません。そう見ていくと、これらはすべて村上春樹の作品だとわかります。つまり、「村上春樹の著作」が正解となります。

次に、グループ名からグループ作りをやってみましょう。今度は、メッセージからスタートします。グループ名を「村上春樹の著作」と設定し、ゼロから書名を挙げてください。相当コアなファン以外は、上記4つの代表作とほとんど変わらないはずです。ここでもし、「本」という包括的なグループ名から始めると、書名を挙げることは困難です。
「要約メッセージはグループ化の根拠と同じであり、グループの要約メッセージを見つける作業はグループを作る作業と同じ」。どちらに問題があっても、考えの組み立てはうまくいきません。

練習問題⑥　映画リスト

以下に、6つの項目が1つのグループとしてリストされています。あなたはこのグループにどのような名前をつけるでしょうか。

- 天国と地獄
- 生きる
- 悪い奴ほどよく眠る
- どですかでん
- 八月の狂詩曲(ラプソディー)
- まあだだよ

練習問題⑤の考え方と同じく、グループ名を「映画」や「日本映画」とすると不正解です。それでは包括論になってしまいます。

だとすると、正解は「黒澤明監督作品」でしょうか。惜しい、もう一息です。もし、このグループ名が「黒澤明監督作品」ならば、なぜ誰もが真っ先に思い浮かべる『七人の侍』や『羅生門』などの代表作が入っていないのでしょうか。

映画に詳しい方なら気づいたかもしれませんね。正解は、「黒澤明監督の現代劇映画」です。

練習問題⑦ 空を見上げて

あなたは今、空を見上げて以下をつぶやきました。あなたの頭の中の要約メッセージは何でしょうか?

- 天気予報は雨と言った
- 今朝早く、カエルがうるさく鳴いていた
- 西の空には黒い雲がある

　これは簡単でしょう。要約メッセージは、たとえば「今日は雨になるだろう」となります。
　それでは、「今日一日の天気を判断するためには、さまざまな自然現象の考察が必要である」という要約はどうでしょうか。内容としては正しいのですが、要約メッセージになっていません。単なる包括的な一般論です。
　長年の教育のせいか、風土のせいか、メッセージの断定を避けようとする日本のビジネスパーソンは少なくありません。この手の包括的な一般論に逃げないよう意識して、明快な要約メッセージを打ち出すよう心がけてください。考えのプロセスで妥協すると、考えを組み立てることができなくなります。

練習問題⑧　A事業本部

あなたは、某企業の事業本部の本部長だとします。A事業はあなたが責任を持つ事業の1つで、事業本部全体の売上の3％を構成しているとします。以下の3つを要約したメッセージはどうなるでしょうか？

- A事業の市場は縮小している
- A事業の市場シェアは5％しかない
- A事業は赤字が拡大している

この問題は少しばかり時間をかけて考えてみましょう。答えは、次項「『So What？』を繰り返す」の中で紹介します（65ページ）。

さて、グループ化と要約メッセージの感覚はつかめたでしょうか。ここまで見てきたことを整理すると、「明快な要約メッセージと説得力のあるグループ化は切り離せない関係にある」ということです。最後にもう一度ポイントを整理しましょう。

- 要約メッセージが曖昧な場合、メッセージにしたがってグループを作ろうとしても、説得力のあるグループはできません。そもそもグループ全体で伝えようとしている考えが曖昧だからです。
- グループ化そのものがおかしい場合、明快な要約メッセージは作れません。要約メッセージはグループ化の根拠を意味するからです。

　考えるプロセスで要約メッセージとグループ化が明快にできあがれば、あとはそれを文章に置き換えるだけ。明快なライティングができないのは、考えが絞り切れていなかったり、グループ化が曖昧だったりするからです。

　このように、グループ化と要約メッセージは非常に大切なものですが、多くは慣れの問題です。練習問題で何かひっかかりがあった人は、この段階でモヤモヤを解消しておきましょう。

要約メッセージを文章にするときの「4つの鉄則」

　考えを組み立てる際、要約メッセージとグループ化に加えて、もう一つ気をつけるべきことがあります。日本語特有の文章表現です。日本語表現は、考えを曖昧な方向へ引っ張り、明快なライティング作成の足かせとなりがちです。

　ここで「4つの鉄則」を紹介します。要約メッセージはもちろんのこと、ピラミッド内のすべてにおいて、この鉄則を守ってください。そうでなければ、論理的で明確なビジネス文書にはいつまで経っても到達しません。

鉄則① 名詞表現、体言止めは使用禁止とする

　メッセージを名詞表現や体言止めにすると、メッセージというよりも見出しになってしまいがちです。これでは、中身のないメッセージで終わってしまいます。以下に例を挙げましょう。

- 過去5年、ベトナム市場は年率19%で拡大している
- 過去5年、インドネシア市場は年率18%で拡大している
- 過去5年、タイ市場は年率18%で拡大している

　これら3つのメッセージから考えられる要約メッセージはどうなるでしょうか。

　悪い例：東南アジア市場の推移

修正例：東南アジア主要国の市場は、過去5年、年率20%近くの大きな拡大を見せている

　上の「東南アジア市場の推移」は単に3つのメッセージの見出しにとどまっており、メッセージになっていません。何について言いたいのかはわかりますが、何を言いたいのか、その中身に触れられていません。
　このように、名詞表現、体言止めは、メッセージを明確に表現しようとする本来の目的を妨げてしまいます。にもかかわらず、いかにもうまくまとまっているように見えるせいか、無意識に使ってしまう人が後を絶ちません。くれぐれも使用禁止を心がけてください。

鉄則②「あいまい言葉」は使用禁止とする

　考えるプロセスでは、メッセージ表現の中で「あいまい言葉」を使ってはいけません。あいまい言葉とは、たとえば、「見直し」「再構築」「問題」「適切な」……といったものです。ビジネスの日常では、ごまかし言葉として、そこかしこで気軽に使われているものです。
　あいまい言葉は、考えをクリアにしていくときの妨げになるだけです。以下の悪い例と修正例を見比べれば一目瞭然です。あいまい言葉は、原則として使用禁止です。

悪い例：営業組織の見直しを提案する
修正例：東京・大阪など大都市圏での営業人員を増大させる

悪い例：営業戦略の再構築が必要である
修正例：営業戦略を、東京・大阪など大都市強化型に変更する必要がある

悪い例：この商品は価格が問題である
修正例：この商品は小売価格にバラツキがありすぎる

悪い例：ABC事業については早急かつ適切な対処を講じる予定です
修正例：ABC事業については、大都市強化を目的とした具体的な行動計画を次回の経営委員会にて発表する予定です

　誤解しないでいただきたいのですが、最終的に上司やクライアントに提出する文書において、こうした言葉を使うなと言っているのではありません。渡世の知恵として文書上で「意図的に」使用するのはOKです。要は、「考えるプロセス」、つまり考えを表現し組み立てるときには、あいまい言葉を使ってはならない、ということです。
　ピラミッド内のメッセージに「見直し」「再構築」「問題」「適切な」といったあいまい言葉を発見したら、すぐに書き直しましょう。

鉄則③ メッセージはただ1つの文章で表現する

　要約メッセージは、ただ1つのメッセージで表現します。そうでなければ要約になりません。もし文章が2つあるようなら、それはメッセージが要約されていない、あるいはメッセージが絞り切れていないということです。
　右ページの図版を見比べてもらうとすぐわかると思います。

:::悪い例

要約メッセージが2つの文章で表現されている。
すなわち、メッセージが1つに絞り込まれていない。

```
┌─────────────────────────┐
│ 紙おむつはスーパーでは      │
│ 客寄せ商品として位置づけ    │
│ られている。ドラッグストアでも│
│ 同じ状況になってきた        │
└─────────────────────────┘
```

┌─────────────────────────┐　┌─────────────────────────┐
│ 紙おむつは、イオンやイトーヨー│　│ 紙おむつは、最近、マツキヨやセ│
│ カドーなどの大手スーパーでは、│　│ イジョーなどの大手ドラッグスト│
│ ずいぶん前から客寄せ商品として│　│ アでも、客寄せ商品として安売り│
│ 位置づけられてきた   │　│ されるようになった   │
└─────────────────────────┘　└─────────────────────────┘

:::修正例

```
┌─────────────────────────┐
│ 紙おむつは、市場では        │
│ すでに客寄せ商品として      │
│ 位置づけられている          │
└─────────────────────────┘
```

┌─────────────────────────┐　┌─────────────────────────┐
│ 紙おむつは、イオンやイトーヨー│　│ 紙おむつは、最近、マツキヨやセ│
│ カドーなどの大手スーパーでは、│　│ イジョーなどの大手ドラッグスト│
│ ずいぶん前から客寄せ商品として│　│ アでも、客寄せ商品として安売り│
│ 位置づけられてきた   │　│ されるようになった   │
└─────────────────────────┘　└─────────────────────────┘

考えを形にする

鉄則④ 「しりてが」接続詞は使用禁止とする

　メッセージを表現する場合には、「1つの主部と1つの述部」で構成される単文表現にするのがベストです。ただし、どうしても2つの文章を組み合わせた複文で表現したい場合、接続詞に"and"を使わないようにします。"and"は接続した2つの文章の論理的な関係を明らかにしてくれないからです。単にメッセージが2つになってしまいます。

　英語の場合、"and"を使うなと言えば事足りるのですが、日本語にはいわゆる「接続助詞」と呼ばれるものが数多くあり、その多くが、"and"と同様、単に2つの文章を接続するためだけに使われています。

　私はこれら論理的な関係が明快でない接続詞をすべてひっくるめて、「しりてが」接続詞と称しています。たとえば、このようなものです。

「……し、……」
「……であり、……」
「……して、……」
「……だが、……」
「……せず、……」
「……なく、……」

　しりてが接続詞はあまりにも日本語の一部として溶け込んでいるので、一切使用しないというのはほぼ不可能に近いでしょう。ただ、少なくとも考えを表現したり、考えを組み立てたりする作業においては使わないでください。

練習問題⑨ 「しりてが」文章

　以下の設問に挙げた6つの例は、しりてが接続詞を用いているために論理的な関係がわかりづらくなっています。しりてが接続詞を使わずに書き直してください。

問題

①A社は倒産し、B社は黒字になった。
②B事業は赤字であり、今後も黒字化は期待できない。
③あのマンションは、1000万円も値下げして、ようやく売却できた。
④私の貯金目標は300万円だが、あと3カ月で達成できそうだ。
⑤役員に若い人がおらず、ネット事業への取り組み意欲が低い。

　以下に修正例を挙げます。論理的な関係がすっきり一目瞭然になっているかと思います。

修正例

①A社は倒産したにもかかわらず、B社は黒字になった。（逆接）
　A社が倒産したおかげで、B社は黒字になった。（因果関係）
②B事業は今後も黒字化は期待できない。（赤字であることは自明）
③あのマンションは、1000万円値下げすることにより、ようやく売却できた。（因果関係）
④あと3カ月で、300万円の貯金目標を達成できそうだ。（複文→単文）
⑤役員に若い人がいないために、ネット事業への取り組み意欲が低い。（因果関係）

鉄則③にもあるように、本来であれば、要約メッセージは1つの文で表現すべきものです。ただし、複文で表現した方が読み手にわかりやすい場合には、2つの文章の論理的な関係を明らかにするような接続詞を用いてください。たとえば、上記に出てきた「にもかかわらず」(逆接)、「ことにより」「ために」(因果関係)といったものです。本書では、これらの接続詞を、ロジカル接続詞と称します。詳しくは4章（116ページ）にて説明します。

「So What?」を繰り返す

　要約メッセージ発見のベスト・ツールとして、"So What？"（それで何が言いたいの？）という呪文を紹介します。

　たいがいのメッセージは、はじめは曖昧でモヤモヤしているものです。煮詰まっていないメッセージを無理やり文書にしようとしたところで、曖昧なものしかできません。"So What？"と繰り返し自問自答を続けることで、混沌とした頭の中の霧が徐々に晴れてきて、本当に言いたい具体的なメッセージを拾い出すことができます。

　経営コンサルタントがレポート・ライティングの過程で四六時中繰り返しているこの呪文を、ぜひ試してみてください。以下に簡単な例を挙げます。

例:多くの問題

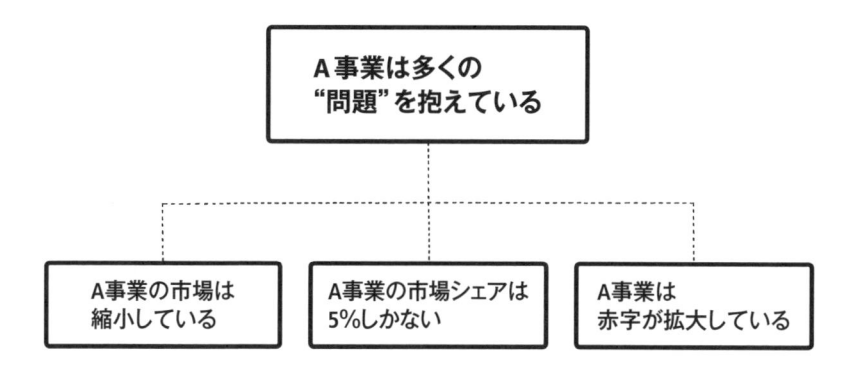

```
         ┌─────────────────┐
         │  A事業は多くの   │
         │ "問題"を抱えている│
         └─────────────────┘
         ／       │        ＼
┌──────────┐ ┌──────────┐ ┌──────────┐
│A事業の市場は│ │A事業の市場シェアは│ │A事業は    │
│縮小している │ │5％しかない │ │赤字が拡大している│
└──────────┘ └──────────┘ └──────────┘
```

　要約メッセージを見てください。「問題」というNGワード（あいまい言葉）を使っています。これではあまりに抽象的・包括的で、何を言い

たいのか伝わりません。こういうときに、"So What?"と自問自答してみるのです。

たとえば、一度"So What?"と問うた結果、「A事業の見直しが必要だ」というメッセージが出てきたとしましょう。しかし、「見直し」もNGワードですし、「見直しが必要だ」と言っても、何をどうするのかが見えないままです。具体的なメッセージが出てくるまで、"So What?"を何度も繰り返します。

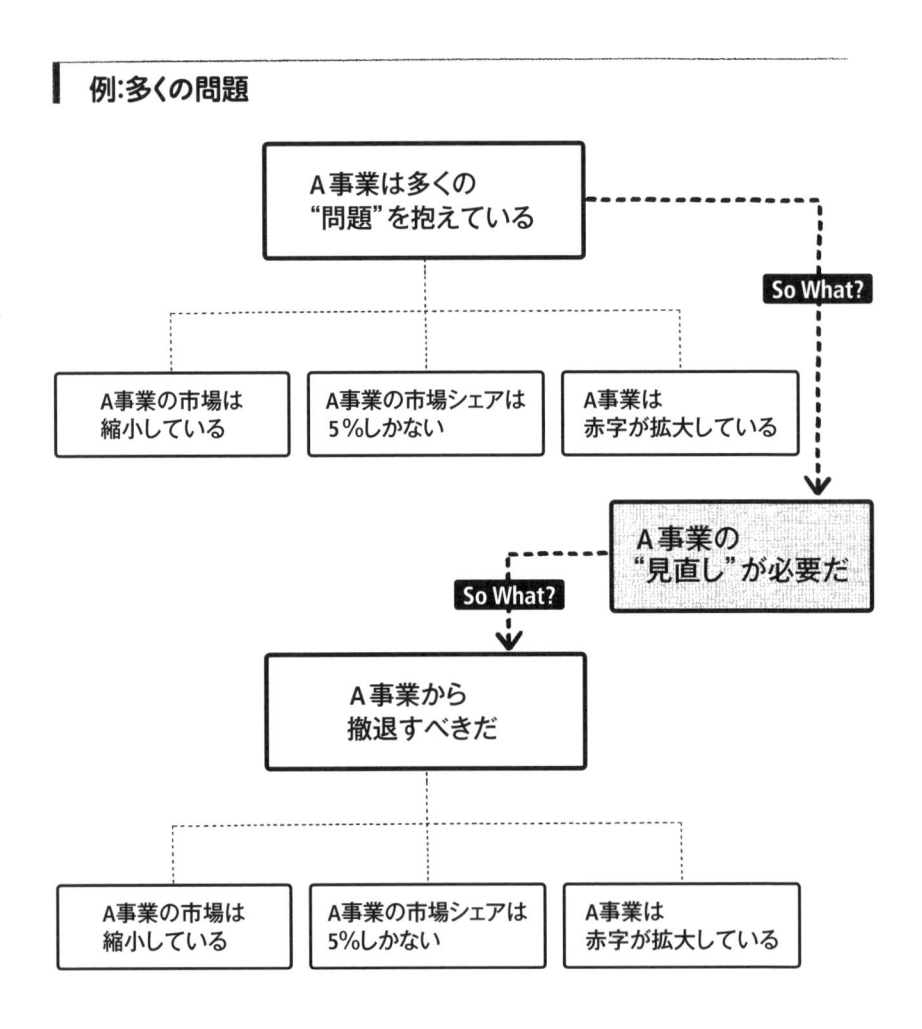

例:多くの問題

```
            ┌─────────────────┐
            │  A事業は多くの   │
            │ "問題"を抱えている│
            └─────────────────┘
                     │          So What?
     ┌───────────────┼───────────────┐        ↓
     │               │               │   ┌─────────────┐
┌──────────┐  ┌──────────────┐  ┌──────────┐│ A事業の      │
│A事業の市場は│  │A事業の市場シェアは│  │A事業は    ││"見直し"が必要だ│
│縮小している│  │5％しかない    │  │赤字が拡大している││             │
└──────────┘  └──────────────┘  └──────────┘└─────────────┘
                          So What?
                             ↓
                    ┌─────────────┐
                    │  A事業から   │
                    │  撤退すべきだ │
                    └─────────────┘
                           │
     ┌─────────────────────┼─────────────────────┐
┌──────────┐       ┌──────────────┐       ┌──────────┐
│A事業の市場は│       │A事業の市場シェアは│       │A事業は    │
│縮小している│       │5％しかない    │       │赤字が拡大している│
└──────────┘       └──────────────┘       └──────────┘
```

下部メッセージから判断すれば、"So What?"の答えは最終的に「A事業から撤退すべきだ」、または「A事業は存続させる意味がない」というメッセージに行き着くでしょう。

　忘れないで欲しいのは、今は「考えるプロセス」の作業中だということです。実際の文書は、さまざまな影響に配慮した政治的表現になるかもしれません。たとえば、「A事業は撤退を視野に入れた見直し作業に入るべきだ」といった具合です。これはこれでOKですが、「考えるプロセス」はあいまい言葉で妥協してはなりません。この違いを忘れずに、「考えはあくまでも明快に」を心がけてください。

★　　　　　★　　　　　★

　メッセージ構造の考え方、グループ化と要約メッセージの意味、メッセージの表現法は、ピラミッド原則の基本です。それでは、次章よりピラミッド作成の実践論に入ります。

3章
ピラミッドを作る
ロジックを展開する、チェックする

説得力があり、なおかつわかりやすい文書にするには
シンプルなロジックを用いることです。
ロジックの基本は、帰納法と演繹法の2種類ですが、
本章では、ビジネス・ロジックの7〜8割を占める
帰納法を中心に説明します。
また、ロジック展開をピラミッドに落とし込む際の注意点や
ちょっとしたコツについて、簡単に触れておきます。
ピラミッド原則の詳細については、
『新版　考える技術・書く技術』をあわせてご参照ください。

帰納法でロジックを展開する

　説得力があり、わかりやすい文書にするには、シンプルなロジックを用いることです。ピラミッド作成においては、ロジックの基本である帰納法と演繹法を使用します。それ以上複雑なロジックを用いると、たとえ正しくてもわかりにくい文書となってしまいます。まずは、ビジネス・ロジックの7〜8割を占める帰納法から紹介します。

帰納法の仕組み

　帰納法とは、複数の特定事象（前提）から要約（結論）を導くロジック展開です。結論は、常に推論となります。絶対的な真実ではなく、前提から導かれた「論理的に」正しい推論です。

　当然ですが、前提は必ず複数となります。1つでは結論を導くロジックとしては不十分です。ライティングの場合、前提（下部メッセージ）の数は5つ以内を心がけてください。安全を取って、マジックナンバー7±2（44ページ）の下限にします。

　まず、以下の例を見てください。

例：馬の心臓
　（前提）●この馬には1つの心臓があった
　　　　　●その馬には1つの心臓があった
　　　　　●あの馬には1つの心臓があった
　（結論）ゆえに、すべての馬には1つの心臓がある

もしかすると２つ心臓を持つ馬が存在するかもしれませんが、上記は論理的に正しい推論と言えます。前提の数が多ければ多いほど推論の正しさは強まりますが、それでも結論は推論です。1000万頭調べても、1億頭調べても、絶対に２つ以上心臓を持つ馬がいないとは言い切れないからです。

帰納法のピラミッド

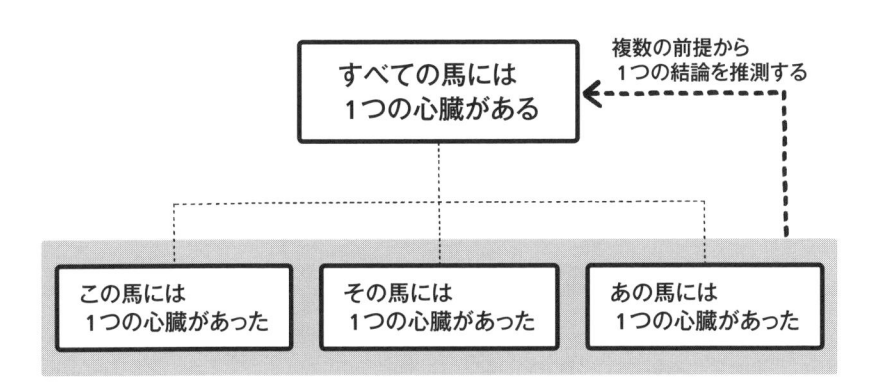

```
         すべての馬には        ← 複数の前提から
         １つの心臓がある          １つの結論を推測する

  この馬には      その馬には      あの馬には
  １つの心臓があった １つの心臓があった １つの心臓があった
```

◉「同じ種類の考え」を前提とする

　帰納法では、前提（下部メッセージ）はすべて「同じ種類の考え」となります。複数の同じ種類の考えから1つの結論を推測します。

　同じ種類の考えには、「主部が同じ」「述部が同じ」「意味するものが同じ」の3つのパターンがあります。

　以下にパターン別に要約メッセージ（結論）と下部メッセージ（前提）の関係を紹介します。

- 下部メッセージの主部が同じ場合→述部を推測
  この場合、要約メッセージは、主部が同じで述部が推測結果となる
  （右ページ上の図版「山田選手」参照）
- 下部メッセージの述部が同じ場合→主部を推測
  この場合、要約メッセージは、述部が同じで主部が推測結果となる
  （前ページの図版「馬の心臓」参照）
- 下部メッセージの意味するものが同じ場合→意味するものが結論
  この場合、要約メッセージは、下部メッセージが共通して「意味するもの」となる
  （右ページ下の図版「日本の経済構造」参照）

▍例:山田選手（主部が同じパターン）

```
      ┌─────────────────────┐
      │ 山田選手は、2008年    │
      │ 北京オリンピックのマラソン │
      │ 金メダル最有力候補である │
      └─────────────────────┘
```

山田選手は、2005年の世界陸上（マラソン）で優勝した	山田選手は、2007年の世界陸上（マラソン）で優勝した	山田選手は、2007年のロンドンマラソンで優勝した

▍例:日本の経済構造（意味するものが同じパターン）

```
      ┌─────────────────────┐
      │ 日本の経済構造は、    │
      │ ITから環境へと       │
      │ 急速な移行を進めている │
      └─────────────────────┘
```

経済学の権威、山本教授は、5年以内に環境分野がGDPトップの産業セクターになると予想した	今年、国内企業の利益額トップ10社のうち、4社を環境系企業が占めた	グリーンエネルギー社は、設立後わずか5年で売上2000億円を達成した

帰納法は「つなぎ言葉」でチェックする

　ピラミッドがうまくできているかどうかをチェックするには、第三者に見てもらうのが一番です。きちんとした経営コンサルティング会社であれば、上司が部下のピラミッドをチェックします。しかし、ほとんどの人にはそうした機会がありません。そこで、「つなぎ言葉」（接続助詞）を使った簡単な自己チェック方法を紹介します。

ステップ1：「つなぎ言葉」をメッセージ文の冒頭に入れてみる

　すべての下部メッセージの冒頭に、つなぎ言葉を入れてみます。つなぎ言葉の種類には、以下のようなものがあります。

「なぜそう判断するかと言えば」
「なぜならば」
「たとえば」
「具体的には」など

ステップ2：声に出して読み上げ、上下のつじつまを確認する

　上部の要約メッセージと、つなぎ言葉を加えた下部のメッセージを順に読み上げ、それぞれ、上下のつじつまが合っているかどうかを確認します。

　どうもつじつまが合わない場合、上下のメッセージ表現に問題があるか、上下のロジック関係がおかしいかのどちらか（あるいは、その両方）です。ただちに、やり直してください。上下の関係は結論を導く関係なのでとても大切です。

ステップ3：下部メッセージ群のつなぎ言葉を見比べる

　下部メッセージのつなぎ言葉がすべて同じものであれば、横の関係

（グループ化）も7割がた問題ないと言えるでしょう。1つでも違うものが混ざっている、同じものを入れたけれどもどうにも違和感がある、といった場合、グループ化に問題がある可能性大です。もう一度グループ化をやり直してください。

「つなぎ言葉」チェックは、簡単でありながら多くのミスを発見できるお得な方法です。次ページからの練習問題で自己チェックの要領をつかんでください。

練習問題⑩ 「つなぎ言葉」チェック①

前ページで紹介した「つなぎ言葉」チェックの3つのステップを使って、以下のピラミッドのロジックがうまく通っているかどうかをチェックしてください。

(ヒント)
ステップ1:「つなぎ言葉」を下部メッセージの冒頭に入れてみる
ステップ2:声に出して読み上げて、上下の関係を確認する
ステップ3:下部メッセージ群のつなぎ言葉を見比べる

```
                ┌─────────────────────────────┐
                │ 日本の経済構造は、ITから環境へと │
                │ 急速な移行を進めている           │
                └─────────────────────────────┘
                    │         │         │
        ┌───────────┘         │         └───────────┐
┌───────────────┐   ┌───────────────┐   ┌───────────────┐
│経済学の権威、山本教│   │今年、国内企業の利│   │グリーンエネルギー社│
│授は、5年以内に環境│   │益額トップ10社のう│   │は、設立後わずか5年│
│分野がGDPトップの産│   │ち、4社を環境系企 │   │で売上2000億円を達 │
│業セクターになると予│   │業が占めた        │   │成した              │
│想した              │   │                  │   │                    │
└───────────────┘   └───────────────┘   └───────────────┘
```

> ロジック・チェックの流れ

```
┌─────────────────────────┐
│ 日本の経済構造は、ITから環境へと │
│ 急速な移行を進めている        │
└─────────────────────────┘
```

A なぜそう判断するかと言えば、
経済学の権威、山本教授は、5年以内に環境分野がGDPトップの産業セクターになると予想した

B なぜそう判断するかと言えば、
今年、国内企業の利益額トップ10社のうち、4社を環境系企業が占めた

C なぜそう判断するかと言えば、
グリーンエネルギー社は、設立後わずか5年で売上2000億円を達成した

- つなぎ言葉を入れる
- 要約と下部メッセージAをつなげて読み上げる

  「日本の経済構造は、ITから環境へと急速な移行を進めている。なぜそう判断するかと言えば、経済学の権威、山本教授が、5年以内に環境分野がGDPトップの産業セクターになると予想したからだ」

  Aは要約の判断根拠になっていたので、OK。

- 要約とB、要約とCも、同様につなげて読み上げる

  BもCも、上下のつじつまが合っていたのでOKです。

- A・B・Cのつなぎ言葉が同じかどうかチェック

  同じ。下部メッセージはすべて同じ種類の考え（要約メッセージの判断根拠）になっています。メッセージ内容そのものの確認はさておき、ロジックの構成はほぼこれで大丈夫と言えるでしょう。

練習問題⑪ 「つなぎ言葉」チェック②

> 問題

練習問題⑩の応用編です。下部メッセージCの冒頭に入る「つなぎ言葉」を考えつつ、以下のピラミッドのロジックがうまく通っているかどうかをチェックしてください。

```
                日本の経済構造は、ITから環境へと
                急速な移行を進めている
```

A
なぜそう判断するかと言えば、

経済学の権威、山本教授は、5年以内に環境分野がGDPトップの産業セクターになると予想した

B
なぜそう判断するかと言えば、

今年、国内企業の利益額トップ10社のうち、4社を環境系企業が占めた

C
????????

わが社は今後、環境事業に対して経営資源を大幅に投下すべきだ

ロジック・チェックの流れ

- 要約と下部メッセージAを読み上げる→OK!
- 要約とBをつなげて読み上げる→OK!
- Cに入る「つなぎ言葉」を考える

  Cに入るつなぎ言葉は何でしょうか。A・Bと同じ「なぜそう判断するかと言えば」を入れて、上下のメッセージを読んでみましょう。どうにもしっくりきませんね。少し考えると、要約とCがスムーズにつながるのは、「したがって」となりそうなことに気づきます。
  「日本の経済構造は、ITから環境へと急速な移行を進めている。したがって、わが社は今後、環境事業に対して経営資源を大幅に投下すべきだ」

- 要約とCの関係を考える

  しかし、これではCが結論、要約メッセージがCの根拠となっています。つまり、上下の関係が逆です。結論は常に上ですから、このロジックは明らかにおかしいです。

- 下部メッセージのつなぎ言葉を見比べる

  A・B・Cのつなぎ言葉を見比べても、Cだけが「したがって」という仲間はずれとなっていることがわかります。たとえ要約とCの関係のおかしさを見過ごしても、この「つなぎ言葉」の仲間はずれで「おかしい!」と感じるはずです。

このように、「つなぎ言葉」チェックによって、ロジックのおかしさに容易に気づくことができます。初級者はしばらくの間、すべてのメッセージに「つなぎ言葉」を入れるようにしましょう。

● 結論を先に述べる

　最後に、帰納法で最も典型的な表現スタイルをご紹介します。

「私の言いたいことは、……です。理由は3つあります。第一の理由は……、第二の理由は……、第三の理由は……」

　結論を先に言い、その後に説明（理由、根拠、方法論など）を挙げていくスタイルはわかりやすくシンプルであり、スピードと明快さが求められるビジネスに非常に適しています。ライティングのみならず、ミーティングでの発表や上司への説明など、あらゆるシーンでこのような説明ができるよう、心がけてください。
　最初は大変ですが、このパターンを繰り返していくうちに、徐々に慣れていきます。会議でこのような発表ができるようになれば、上司や周囲の人はあなたの説明に一目置くようになるはずです。

　（例）
「私の考えは……です。そう判断する根拠は2つあります。第一に、……。第二に、……」
「私は……すべきだと考えます。これを実行に移す場合、4つの注意ポイントがあります。第一のポイントは……、第二のポイントは……、第三のポイントは……、第四のポイントは……」

　なお、説明の数は3つである必要はありませんが、2つ以上5つ以内にします。「私の言いたいことは……です。理由は……」などのように、1つだけの理由では説得力がありません。帰納法では、前提（下部メッセージ）は必ず複数になるのでお忘れなく。

演繹法でロジックを展開する

　演繹法は、絶対的に正しいことや、一般的に正しいと判断されること（前提）から、妥当と思われる結論を導くものです。理論優先の数理的論証をはじめ、絶対的な真理を探究する理系分野でよく使われています。身近な例で言えば、皆さんもご存知の三段論法（「すべての人間は死ぬ」→「ソクラテスは人間だ」→「ゆえにソクラテスは死ぬ」）などがその代表例として挙げられます。

　帰納法は結論が推測であり、前提（下部メッセージ）が結論の正しさを支持するという論法でした。一方、演繹法の場合は、すべての前提（下部メッセージ）が正しければ、結論も絶対的に正しくなります。推測ではありません。

　演繹法は一見すると流れがスムーズなので、それがかえってロジックの誤謬（ファラシー）を気づきにくくさせます。たとえば、「○○業界は好調だ」「A社は○○業界だ」「ゆえにA社も好調だ」というロジック。立ち止まって考えれば、そう言い切れないのは自明のことですが、この手の間違いは枚挙にいとまがありません。演繹法を使用する際は、自分も同じような間違いをしていないか、くれぐれも注意してください。

　それでは、演繹法のロジックとピラミッドを確認してみましょう。帰納法と比較できるよう、同じく「馬の心臓」を例にしました。

例:馬の心臓

（前提）● 馬は哺乳類である（第一文）
　　　　● すべての哺乳類には１つの心臓がある（第二文）
　　　　　（第一文の述部についてコメント）
（結論）ゆえに、すべての馬には１つの心臓がある

　第一文と第二文が絶対的に正しければ、結論は必ず正しくなります。一方、帰納法では、「馬の心臓（帰納法）」の例を見ればわかりますが、3つの前提がすべて正しくとも、心臓が2つある馬もありうるのです。
　さて、この演繹法のロジックをピラミッドにしてみましょう。ピラミッド原則では帰納法と同様に結論を上に置くため、ロジックの流れはまず右へ、そして上へと向かっていきます。演繹法のピラミッドは、下から駆け上がるような形になるのが特徴です。

例:演繹法のピラミッド

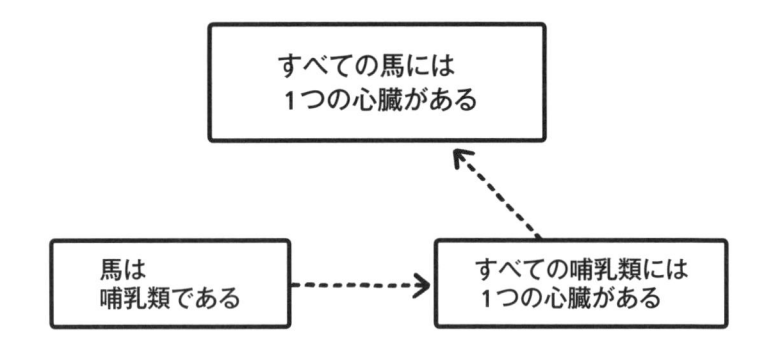

```
           ┌──────────────┐
           │ すべての馬には │
           │ １つの心臓がある │
           └──────────────┘
                   ▲
                   ┊
┌──────────┐     ┌──────────────┐
│ 馬は      │┈┈▶│ すべての哺乳類には│
│ 哺乳類である│    │ １つの心臓がある │
└──────────┘     └──────────────┘
```

ビジネスで演繹法を使う際の注意点

　ビジネスの世界では絶対的に正しい前提があまりないため、一般的には帰納法の方がよく使われます。演繹法がよく使われるのは、「過去や現在の事実」（絶対的に正しい）に「正しい法則」や「妥当な仮定」（一般的に正しい）を適用して将来を予測する場合です。

例:X事業の損益

（前提）● X事業は、今のコスト構造のままでは、売上100億円が損益分岐点となる
　　　　● X事業は、来期の売上はどう楽観的に見ても95億円止まりと見られる
（結論）ゆえに、X事業は、コスト構造の改革に着手しない限り、来期は大幅な赤字になるだろう

　前提の第一文は正しい分析（事実）です。第二文も正しい分析（事実と認めてよいこと）と言えるでしょう。つまり、第一文、第二文の分析が正しい限り、結論も正しいと言えます。

例:大型車開発

（前提）● わが社の経営方針は利益率の最大化である
　　　　● 大型車は小型車より利益率が高い
（結論）ゆえに、わが社は今後は大型車中心の開発体制をとる

　上記では、第二文が絶対的に正しいとは言い切れません。「大型車は小

型車よりも利益率が高い」という前提には、いくつかの仮定条件（たとえば、「100万台売れれば」や「ガソリンが1リットル100円以下ならば」といった重要な条件）が無視されています。この結果、誤った結論が導かれています。

簡単に見えますが、とりわけ年配の方はこのおかしさになかなか気づくことができません。なぜなら過去の体験に引っ張られてしまうからです。たしかに昔は「大型車は小型車より利益率が高い」というのは正しかったのです。しかし、過去に正しかったからといって、今も正しいとは限りません。簡単な事実の変化が見えにくいのです。

● 演繹法は「前提」をチェックする

演繹法でロジックが正しく流れているかどうかを自己チェックする方法を紹介しましょう。それは、「前提」の後に、「本当に正しいと言えるか？」と自らに問いを投げかけてみることです。

例:X事業の損益

（前提1） X事業は、今のコスト構造のままでは、売上100億円が損益分岐点となる
　　　　→「本当に正しいと言えるか？」
　　　　→「イエス。この分析には疑問の余地がない」
（前提2） X事業は、来期の売上はどう楽観的に見ても95億円止まりと見られる
　　　　→「本当に正しいと言えるか？」
　　　　→「イエス。これも疑問の余地がない」

（結論）　ゆえに、X事業は、コスト構造の改革に着手しない限り、来期は大幅な赤字になるだろう

例:大型車開発

（前提１）わが社の経営方針は利益率の最大化である
　　　　　→「本当に正しいと言えるか？」
　　　　　→「イエス」
　　　　　　これは既定事項であり、絶対的に正しい方針として受け入れることができます。ただし、「利益額が同じとして」というメッセージが当たり前のこととして省かれています。読み手全員に自明であれば、それでもよいと思います。
　　　　　　もし、曖昧さをなくす必要がある場合は、以下のように一歩踏み込んで表現するとよいでしょう。
　　　　　「利益額維持は当たり前として、それ以外の指標としては、利益率の最大化を最重要視する」
（前提２）大型車は小型車より利益率が高い
　　　　　→「本当に正しいと言えるか？」
　　　　　→「常に正しいとは言えない。いくつかの重要な仮定が必要」

　このように「本当に正しいと言えるか？」と自問してみると、前提が常に正しいとは言えない、重要な仮定を含んでいることに気づきます。
　演繹法では、過去の経験則や思い込み、前例、常識とされてきたことなどについて、本当に正しいのか、仮定となる状況が変化していないかなど、今一度前提を確認するようにしましょう。

ピラミッド作成のコツ

　ピラミッドは、伝えるべきメッセージを明快にし、説得力あるように組み立てるためのツール（道具）です。あくまでも舞台裏のツールであり、最終成果物はレポートやプレゼン用のスライドとなります。

　どんなに熟達した人でも、一度で完璧なピラミッドを書けることはありません。「So What？」の自問を繰り返しながら、何度も作り直すものです。直せば直すほど、いいピラミッドになります。

　ピラミッド作成の詳細はバーバラ・ミント著『新版 考える技術・書く技術』を参照いただき、本書では特に注意すべき点に絞って紹介します。

● コツ① 1つの考えを短く明快に

　ピラミッド箱内に記入するメッセージは短く明快に、と心がけてください。縦横のメッセージの関係が見えやすくなり、おかしなメッセージが混ざっていてもすぐに気づくことができます。書き方は、要約メッセージの項で学んだ4つの鉄則を生かしましょう。

　　鉄則①名詞表現、体言止めは使用禁止とする
　　鉄則②「あいまい言葉」は使用禁止とする
　　鉄則③メッセージはただ1つの文章で表現する
　　鉄則④「しりてが」接続詞は使用禁止とする

　また、あわせて気をつけるべき点を2つ挙げます。

主メッセージとキーラインを早めに決める

次ページの図のA・Bのように、主メッセージを直接支持するメッセージのことを「キーライン」と呼びます。全体の構造は、主メッセージとキーラインで決まります。

仮のものでもかまいませんので、主メッセージとキーラインはなるべく早い時点で決めてください。まず、全体の大枠構造を決めることから始め、その後に詳細のピラミッド例に入ります。いきなり細かな部分から作り始めると、詳細箇所に足を取られて動けなくなります。
「大枠から詳細へ」がピラミッド作りの基本です。

ピラミッド内で文書を書こうとしてはいけない

ピラミッド作成の研修を行っていると、必ずといっていいほど、89ページの図にあるように、ピラミッドの箱の中にぎゅうぎゅうに文章を書いてしまう人を見かけます。ピラミッドを利用して、ピラミッドの中で文書を書こうとしているのです。

ピラミッドの中で文書を書こうとしてはいけません。「文書を書くプロセス」と「考えを組み立てるプロセス」を分けるのが、ピラミッド原則の最大の特徴です。ピラミッドはあくまでも考え（メッセージ）を組み立てるためのツールなのです。

ピラミッド内に書くのは「1つのメッセージ」です。この段階では文書を書くことを忘れ、考えを組み立てることに集中してください。

XYZ事業の買収（正しいピラミッドの例）

O: 新規事業を拡大する
P: 持ち込まれた赤字XYZ事業の買収案件が投資に値するものかどうか、よくわからない
Q: XYZ事業買収は検討に値するような案件か？

主メッセージ
イエス、XYZ事業の買収は十分に検討に値する

A なぜそう判断するかと言えば、当社とXYZ事業の間には、大きな事業シナジーがあるから

B なぜそう判断するかと言えば、XYZ事業は早期（3年以内）の黒字化が可能と見込まれるから

A-1 たとえば、販売面において、XYZ事業は当社の既存の営業網を活用できる

A-2 たとえば、生産面において、XYZ事業は当社A事業の既存生産設備の一部を転用できる

A-3 たとえば、情報管理システムに関しては、XYZ事業で採用しているものは、当社と同じABC社のモジュールシステムである

B-1 XYZ事業は市場規模が今のままで推移すると仮定すれば、3年程度で黒字化が可能と見られる

B-2 実際には、市場は今、大きな成長期に突入しようとしている

悪い例（箱の中で文書を書こうとしている）

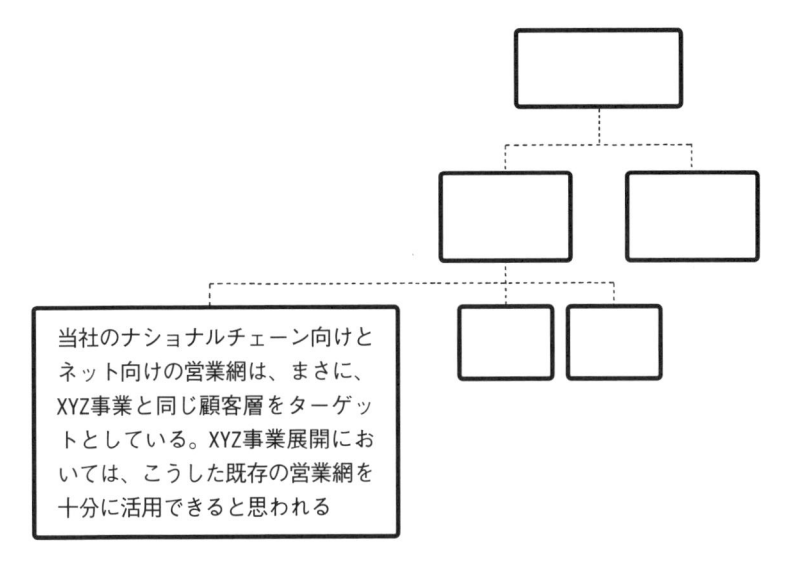

```
        ┌─────┐
        │     │
        └──┬──┘
     ┌─────┴─────┐
  ┌──┴──┐     ┌──┴──┐
  │     │     │     │
  └─────┘     └─────┘
     │         ┌─────┐ ┌─────┐
┌────┴──────┐  │     │ │     │
│当社のナショ│  └─────┘ └─────┘
│ナルチェーン│
│向けとネット│
│向けの営業網│
│は、まさに、│
│XYZ事業と同│
│じ顧客層をタ│
│ーゲットとし│
│ている。XYZ│
│事業展開にお│
│いては、こう│
│した既存の営│
│業網を十分に│
│活用できると│
│思われる   │
└───────────┘
```

● コツ② 縦と横の「二次元」を意識する

　ピラミッド作成の第二のコツは、最下段まで二次元で書くことです。ロジック上の縦の関係と横の関係が一目でわかるので、ロジック・チェックがしやすくなります（次ページの図を参照）。

縦の関係

　縦の関係は「論理の帰結」、つまり上が結論（要約）で下が根拠／説明という関係になっています。帰納法であれ演繹法であれ、結論は必ず上に置きます。とりわけ帰納法では、上が結論になっていること、上下の関係が逆になっていないことを確認してください。よく間違えます。

　チェック法としては、帰納法では「つなぎ言葉」（接続助詞）によるチェック（74ページ参照）、演繹法では「前提文が本当に正しいかどうか」のチェック（84ページ参照）が役に立ちます。

横の関係

横の関係は、結論を導く「論理づけ」(ロジックの流れ)を表します。帰納法の場合は、横に並んだメッセージ群が、「同じ種類の考え」かどうか、仲間はずれのメッセージがないかどうかを確認してください。

演繹法の場合は、横に並んだメッセージ群が前提として正しい(正しいと考えて差し支えない)かどうかに加えて、演繹的な流れになっているかをチェックします。具体的には、第一前提文の主語か述語が、第二前提文にバトンタッチされているかを確認してみましょう。

縦(論理の帰結)と横(論理づけ)

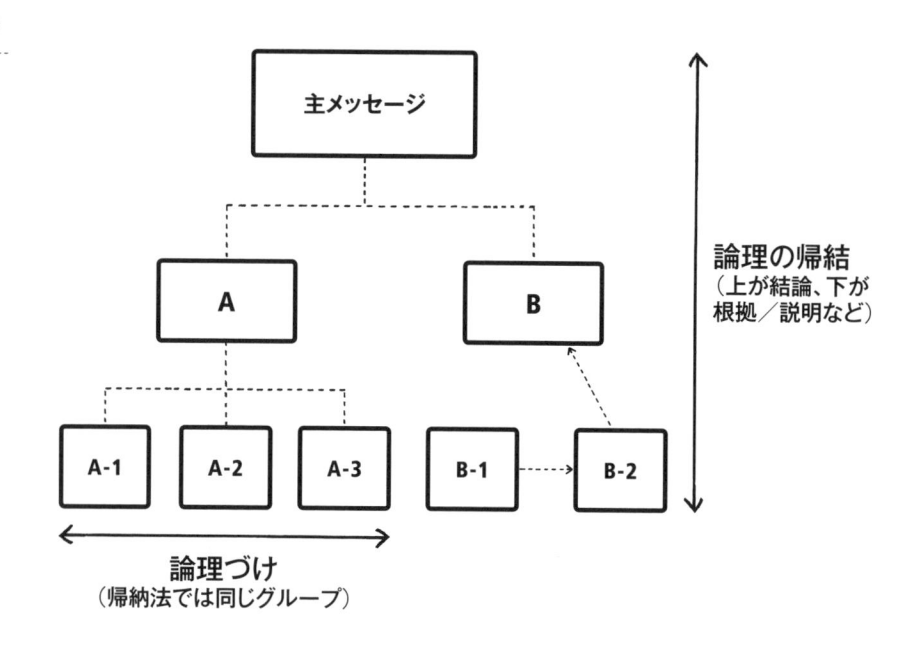

```
            ┌─────────────┐
            │  主メッセージ  │
            └──────┬──────┘
          ┌────────┴────────┐
      ┌───┴───┐         ┌───┴───┐
      │   A   │         │   B   │
      └───┬───┘         └───┬───┘
   ┌──────┼──────┐          │
┌──┴─┐ ┌──┴─┐ ┌──┴─┐   ┌──┴─┐ ┌────┐
│A-1 │ │A-2 │ │A-3 │   │B-1 │→│B-2 │
└────┘ └────┘ └────┘   └────┘ └────┘
```

論理の帰結
(上が結論、下が根拠/説明など)

←──────────────→
論理づけ
(帰納法では同じグループ)

ピラミッドの縦横を無視しない

　気をつけていただきたいのは、ピラミッドの縦横の配置を勝手にいじらないということです。研修でよく見かけるのですが、紙の大きさやパソコン画面の大きさに合わせてピラミッドを書くケースが多々あります。縦の関係と横の関係をごちゃまぜにすると、ロジック・チェックがやりづらくなるのでやめてください。

　88ページの「XYZ事業の買収」を、縦横ごっちゃにした「悪い例」が次ページの図です。横に並べるべきメッセージを縦に並べているために、結論と根拠の関係にあるのか、根拠同士の関係なのか、わかりにくくなっています。その結果、ロジック・チェックに手間がかかるうえ、間違いを発見しづらくなってしまいます。

　特に製造業の方、生産現場の方は、この手の横に流れるチャートに慣れているかと思いますが、この形にしてしまうと、縦の関係に意味がないため、とりわけ帰納法的なロジックが見えづらくなります。アイデア出しには向いた形ですが、考えを組み立てるときはピラミッドの形で統一してください。

　ピラミッドがA4用紙で収まらない場合にはA3用紙を準備しましょう。紙の大きさに自分の考えを合わせるのではなく、大きな考えに対応できるように大きな紙を準備します。パソコンで書く場合には、全体が見えるようにできる限り大きな画面を準備してください。

　私の場合は、19インチの画面を横に2つ並べ、2つの画面を1つにしています。ただし、それでも手書きのよさは捨てがたく、脇にはいつもA3用紙を置き、パソコンと紙を行ったり来たりしています。

XYZ事業の買収（悪い例）

- イエス、XYZ事業の買収は十分に検討に値する
  - なぜそう判断するかと言えば、当社とXYZ事業の間には、大きな事業シナジーがあるから
    - たとえば、販売面において、XYZ事業は当社の既存の営業網を活用できる
    - たとえば、生産面において、XYZ事業は当社A事業の既存生産設備の一部を転用できる
    - たとえば、情報管理システムに関しては、XYZ事業で採用しているものは、当社と同じABC社のモジュールシステムである
  - なぜそう判断するかと言えば、XYZ事業は早期（3年以内）の黒字化が可能と見込まれるから
    - XYZ事業は市場規模が今のままで推移すると仮定すれば、3年程度で黒字化が可能と見られる
      - 実際には、市場は今、大きな成長期に突入しようとしている

1対1の関係に要注意

　ピラミッドを作る場合、下部は必ず複数のメッセージとなります。1対1の「ぶらさがり型ピラミッド」になってしまっているときは、何かがおかしい証拠です。

ロジックが成立していない

　すでに説明したように、帰納法ではそもそも1対1のピラミッドはありえません。下部メッセージは必ず複数となります。

　演繹法では三段論法以上（下部メッセージが2つ以上）を原則にしてください。演繹法では因果関係（Bが原因でAが結果）の場合など、AとBを1対1の二段論法的な形で書きがちです。しかし、ここでも「1対1のピラミッドは作らない」ということを習慣づけてください。

　というのも、およそビジネスというものは不確定要素が多く、ある前提を自明だと思い込んで1対1の因果関係ロジックを作ったものの、実はその前提は自明でなかった……、などという話がしょっちゅうあるからです。不安定な前提1つではロジックになりませんし、説得力も出ません。

　一方、「大丈夫、前提は自明であり、疑問の余地はない」というのであれば、わざわざ1対1のピラミッドを作るまでもないのです。1つのメッセージの中で、ロジカル接続詞を用いた複文で表現すれば十分です。

　なお、数学など定義を自明の前提として扱うことが多い理論の世界では、1対1で二段論法的に表現できる場合も多くあります（「Nは奇数である」→「N^2は奇数である」）。ビジネスの世界では、これは例外と考えてください。

練習問題⑫ 売上アップの方策

問題

以下のピラミッド（二段論法型）は、どこがおかしいのでしょうか。

```
┌─────────────────────────┐
│ 売上1割アップのために、      │
│ たとえば製品ライン拡張などの  │
│ 積極策に踏み出すべきである    │
└─────────────────────────┘
            ↑
┌─────────────────────────┐
│ 売上があと1割アップすれば、   │
│ 黒字になる                  │
└─────────────────────────┘
```

当然のことながら、下段メッセージは現状の経費構造を前提としたメッセージです。ここには「同じ経費構造であれば」という仮定が隠されています（説明不十分な前提）。

ところが、上段メッセージのように製品ライン拡張などの積極策をとる場合、経費構造が変化し、経費率がアップします。つまり、製品ライン拡張策では、たとえ売上が10％アップしても黒字化しないはずです（誤った結論）。

つまり、ロジックそのものに問題があります。1対1ピラミッドの典型的な間違いです。

同じメッセージの繰り返しに注意

　もう一つ、ありがちな間違いは、表現は違うように見えてロジック的には同じことを言っているに過ぎない、というケースです。要するに、同じメッセージが繰り返されているということです。その場合は、どちらかのメッセージを削除するか、上下のメッセージを1つに統合してください。

　なお、同じメッセージになっているかどうかは、「So What？」と問いを投げかけてみれば、すぐに発見できるはずです。

XYZ事業の買収（1対1ピラミッドの例）

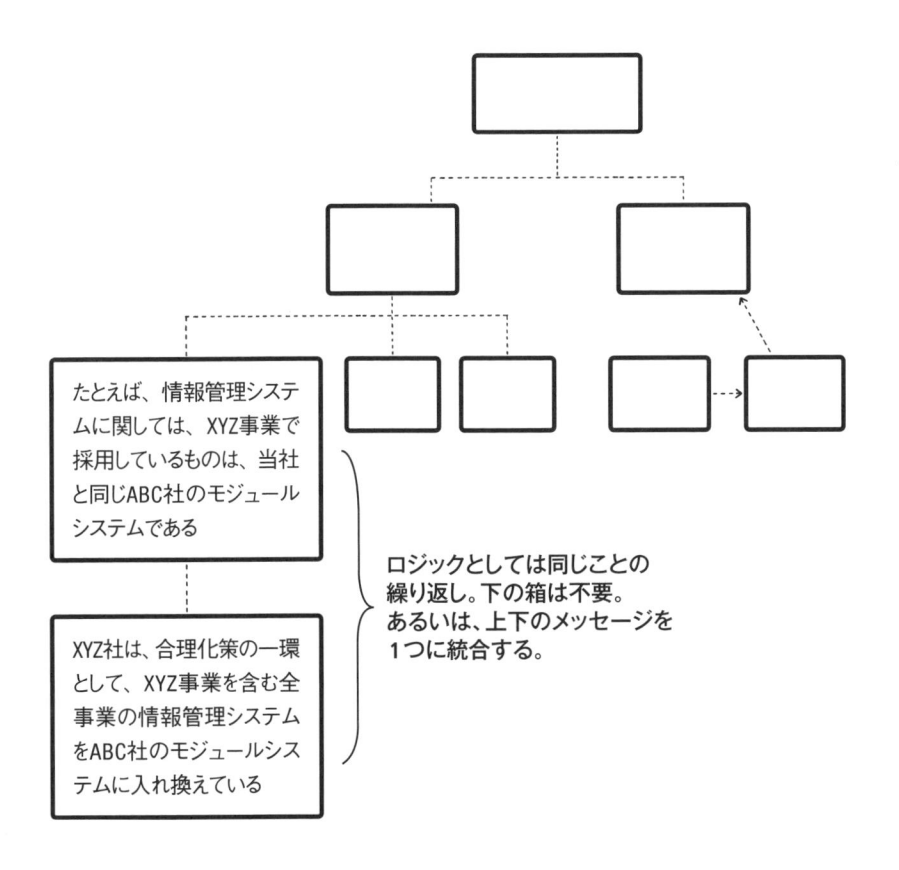

たとえば、情報管理システムに関しては、XYZ事業で採用しているものは、当社と同じABC社のモジュールシステムである

XYZ社は、合理化策の一環として、XYZ事業を含む全事業の情報管理システムをABC社のモジュールシステムに入れ換えている

ロジックとしては同じことの繰り返し。下の箱は不要。あるいは、上下のメッセージを1つに統合する。

ピラミッド内ではわかりきったことを書かない

最後に、ピラミッドすべてに通じる注意点を1つ挙げます。「読み手にとって既知のこと（わかりきったこと、当たり前のこと）を書いてはならない」ということです。

ロジックをわかりやすくするために部分的に既知の事柄を織り込む場合もありますが、とりわけキーラインなどの重要部分では、絶対に既知事項は書かないでください。読み手はあくまで、自分が知らないことを知ろうとして文書を読むわけです。その肝心要のキーラインにすでに知っていることが書いてあると、その箇所を読まないばかりでなく、文書全体を読む気を失いかねません。

なお、読み手にとって既知かどうか、既知と判断して差し支えないかどうか、自信がない場合はどうすればよいでしょうか。もう一度、1章で学んだ情報収集やOPQ分析に立ち戻り、読み手の立場や読み手の疑問を考え直す作業をしてみてください。

● 1対1の番外編「イメージによる説得」

ピラミッドは基本的にロジックを組み立てるものですが、テーマによってはロジックのみで押し切るより、イメージを膨らませる工夫をした方がわかりやすくなるケースもあります。組織風土や企業文化、ある人の能力・人柄を説明する場合などです。

たとえば、「○○社は保守的な企業風土を持っている。そう判断できる根拠は3つある。第一に……、第二に……、第三に……」。もちろんこれでもよいのですが、読み手から見ると今ひとつイメージが湧かない、ピンと来ないという場合があります。

このような場合は、むしろ1つの事例を深く掘り下げ、真実味豊かで想像しやすい説明をした方が、客観性が高まり、説得力が増すというこ

ともあります。これを、ロジックとは別に、「イメージによる説得」と呼ぶことにします。次ページの図を例に考えてみましょう。

　この図では、「Z社は開発提携パートナーとしてふさわしい会社である」ことを報告しており、その判断根拠として、Ⓐ多くの開発実績、Ⓑ有能なスタッフ、Ⓒ信頼重視の社風、の3点を挙げています。言い換えれば、ⒶⒷⒸの3つの異なるメッセージ群の要約が「Z社は開発提携パートナーとしてふさわしい」となっています。帰納法的なロジック構成です。

　ⒶⒷについては、客観的な事例（とりわけ数値的な事例）を挙げることで、十分説得力に足る根拠となりそうです。しかし、Ⓒについてはそれほど簡単ではありません。客観的な説明が難しいからです。もちろん、数字的根拠を挙げることはできません。

　こうしたケースでは、簡単な事例説明を複数並べるよりも、1つの事例に焦点を絞り、その事例を詳しく説明する方が有効である場合が多くあります。イメージの湧かない簡単な事例説明をいくら挙げても説得力はないからです。この場合「Z社は信頼を重視した社風である」と判断できるような出来事を1つ取り上げ（事例Ⓓ）、それをイメージ豊かに描いていくのがよいでしょう。

　その部分は「1対1の関係」となるわけですが、ロジック上はメッセージが同じなので、ピラミッド上に書いてはいけません。どうしても書き留めておきたいときは、キーラインの下にカッコ書きでメモしておく程度でとどめてください。あくまで例外扱いです。メッセージⒸと事例Ⓓを実線で結んだりしないでください。

例：開発提携パートナー

```
                    ┌─────────────────────────┐
                    │ Z社は開発提携パートナー  │
                    │ としてふさわしい        │
                    └─────────────────────────┘
```

A 多くの開発実績を有している

B 有能なスタッフを抱えている

C 信頼を重視した社風である

D 事例：計測器エラー表示発生時の経営陣の対応について

- たとえば、3年前に話題になったAA技術を開発したのはZ社だ
- たとえば、BB社のCC商品はZ社の技術を利用している
- たとえば、Z社は、すでに商品化された特許だけで200以上ある
- たとえば、理工系の博士号を持つ社員が40人もいる
- たとえば、社員のほとんどが英語に堪能である（全社員の平均TOEICスコアが650点以上）

よくある質問
Question

ある研修でMECE（Mutually Exclusive, Collectively Exhaustive：モレなく、ダブリなく）という考え方を習いました。
ピラミッドを作るときに「ダブリなく」はわかるのですが、「モレなく」作れたかどうかはどのようにチェックすればよいのでしょうか？

Answer

帰納法を思い出してください。結論はあくまでも推論であり、そのロジックは結論の正しさを「証明」するのではなく、正しさを「支持」するものでした。したがって、絶対的に正しい「モレのない」ピラミッドなどありえないのです。

結論から言えば、モレがないかどうかを決めるのは読み手です。迷ったときには、常に読み手の立場に戻るしかないということです。読み手がモレはないと判断してくれそうなら、それで大丈夫なのです。

Question

ピラミッドはボトムアップで書くべきなのでしょうか、それともトップダウンで書くべきなのでしょうか？

Answer

　結論としては、ややトップダウンを意識して書くのがよいと思います。
　ピラミッド型にロジックを組み立てる際には、通常はメッセージ探しや確認のために、それなりの調査や分析が必要となります。しかし、ただやみくもに調査・分析を行うのは時間と労力の無駄です。仮にでも主メッセージを先に決めておけば、下部メッセージ探しの作業を効率化できます。これを仮説アプローチと呼びます。右ページにピラミッド作りのステップを簡単に紹介します。
　もう一つの理由は、我々の頭は意識しないとボトムアップで考えがちになるからです。トップダウンを意識してちょうどバランスが取れるくらいです。ただし、右ページのステップ3を見てもわかるとおり、厳密に言えば、純粋なトップダウンも、純粋なボトムアップもありません。頭の中は常に「行ったり来たり（アップ・アンド・ダウン）」の繰り返しのはずです。したがって、あまり厳密に意識せずに、大まかにトップから考える程度で十分だと思います。

トップダウン型ピラミッド作り（仮説アプローチ）

ステップ1
主メッセージを仮に決める
（仮説設定）

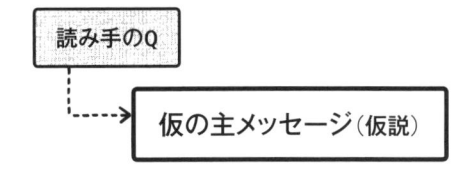

読み手のQ → 仮の主メッセージ（仮説）

ステップ2
必要な支持メッセージが何かを考え、それらを探す
（仮説検証）

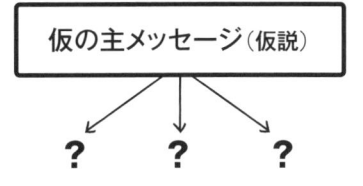

仮の主メッセージ（仮説）
↓ ↓ ↓
？ ？ ？

ステップ3
調査の結果、仮説に修正が必要だと判明した場合は、仮説を修正し、ステップ2を繰り返す（仮説修正）

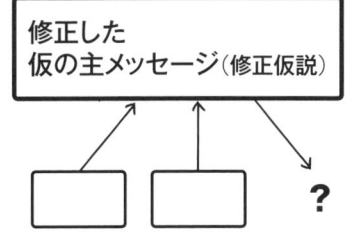

修正した
仮の主メッセージ（修正仮説）
↑ ↑ ↘
□ □ ？

ステップ4
ステップ2と3を繰り返し、ピラミッドが完成。仮説が結論になる（結論完成）

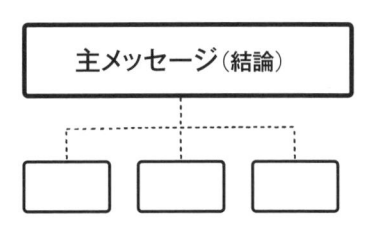

主メッセージ（結論）

★　　　　　★　　　　　★

　本章で「考えるプロセス」は終了です。構成した考えは、くれぐれも一度、紙に書き記すようにしてください。書いてはじめて、考えの曖昧さに気づくものです。考えを明快に構成できれば、文書作成プロセスは8割がた終わったも同然です。

　繰り返しとなりますが、ビジネス・ライティングの基本は考えるプロセスにあります。ライティングの上達はレポートを書いた回数に比例するのではなく、「考えるプロセス」をどれだけこなしたかに比例します。

　なお、本書巻末（151ページ）に「ピラミッドの基本パターン」を用意しました。実際のレポートでよく登場するピラミッドの基本形について解説しています。あわせてお役立てください。

　それでは次章より、いよいよ「文書を書く」工程に入ります。

4章
文書で表現する
導入から結びまで、気をつけるべきポイント

いよいよ最後の仕上げです。
ピラミッドを文書に置き換えていくだけの話なのですが、
とりわけ初心者の場合、いざ文書を書こうとすると、
ついつい筆を滑らせてしまい、
せっかく考え抜いたメッセージ構造をいじって
文書上で変えてしまうということがよくあります。
最後の仕上げをしくじっては、これまでの努力も水の泡。
気をひきしめて行きましょう。
本章では、段落の作り方や接続詞の使い方など、
文章上のコツも踏まえて、ビジネス文書のセオリーを学びます。

文書全体の構造はピラミッドに同じ

　書くプロセスは、考えるプロセスを通じて作り上げてきたピラミッドを紙の上に置き換えるだけの作業です。ここで最も大切なのは、ピラミッド型のメッセージ構成を崩さず、そのまま構造が見えるよう文書で表現するということです。逆に言えば、よい文書は一見しただけでピラミッド構造が思い浮かぶものなのです。

　すべきことはいたってシンプルなのですが、簡単そうに見えて、これがなかなかくせものです。まずは文書表現の基本中の基本について、以下に注意点を挙げます。

メッセージごとの固まりが一目でわかるようにする

　見出し、段落、箇条書きをうまく活用し、文書を手に取ったときにメッセージの固まりがすっと目に入ってくるようにします。具体的なノウハウについては、113ページ以降で詳しく紹介します。

各メッセージ文を固まりの冒頭に配置する

　文書の冒頭は文書の主メッセージ文から、章の冒頭は章メッセージ文から、段落の冒頭は段落メッセージ文から始めるのが原則です。帰納法の項で学んだ「結論を先に述べる」(80ページ) と同様、読み手が必要とする順番で述べていこうということです。ただし、一部例外もありますので、後ほど詳述します。

ピラミッドのメッセージをそのまま形にする

　原則として、ピラミッドの箱の中のメッセージを文章として表現した

のがメッセージ文になります。読み手の状況に配慮して表現を意図的に柔らかくしたり、曖昧にしたりするということはありえますが、内容的には同じものになります。文書にする際にメッセージ構成を変更してはなりません。そうでなければ、ピラミッドを作った意味がなくなります。

　この段階に来て「なぜかピラミッドのメッセージがうまく文書に置き換えられない」と悩んでいる方を見かけます。たいていはロジックがおかしいとか、ピラミッド内のメッセージが絞り切れていないなど、考えそのものに問題がある場合がほとんどです。文書をいじって何とかしようとするのではなく、いったん考えるプロセスに戻ってピラミッドを修正するところからやり直してください。

　手始めに、次ページのケース「X事業投資」を例に、ピラミッドを文書に置き換えるイメージをつかんでみましょう。上記3つのポイントがどのように実行されているか、注意して見てください。

● ケース「X事業投資」

　某社の経営企画部課長であるあなたが、経営委員会事務局長の山下常務に宛てて、X事業への投資をすべきかどうかについて報告書を書こうとしている、という設定です。
　まずはOPQ分析を行い、読み手の疑問を明らかにします。

読み手：山下常務
読み手のO：新規事業を拡大する
　　　　　　（または、X事業投資に対し正しい経営判断を下す）
読み手のP：A銀行からX事業投資の話が持ち込まれたが、検討に値する事業なのか判断できない
読み手のQ：X事業投資を前向きに検討すべきか？

　あなたは、簡単な調査・分析を進めた結果、「X事業投資を積極検討すべき」という基本方針に至りました。そこで至急、要点をメモにまとめて山下常務に報告しようとしています。
　一連の調査・分析を踏まえて作成したピラミッドが、右ページの図です。このピラミッドを文書に置き換えたのが、108〜109ページの見開きの文書例となります。ピラミッドから文書への推移をよく確認してください。

X事業投資：ピラミッドの例

O：新規事業を拡大する
P：持ち込まれたX事業投資の話が検討に値するものなのか判断できない
Q：X事業投資を前向きに検討すべきか？

主メッセージ
X事業投資を至急、前向きに検討すべきだ

キーラインA
（判断根拠）
なぜそう判断するかと言えば、市場が魅力的だから

キーラインB
（判断根拠）
なぜそう判断するかと言えば、わが社は競合優位性を持てるから

キーラインC
（判断根拠）
なぜそう判断するかと言えば、わが社にとり今がベストタイミングだから

A-1
たとえば、今後数年間、アジアを中心に市場拡大が見込まれる

A-2
たとえば、当社事業の中で最高レベルの利益率が期待できる

C-1
なぜなら、1年以内なら政府の特別投資助成金制度を活用できる

C-2
なぜなら、今なら当社の余剰経営資源が活用できる

B-1
たとえば、当社ABC事業の販売流通網をそのまま活用できる

B-2
たとえば、当社DEF商品生産設備の一部を転用できる

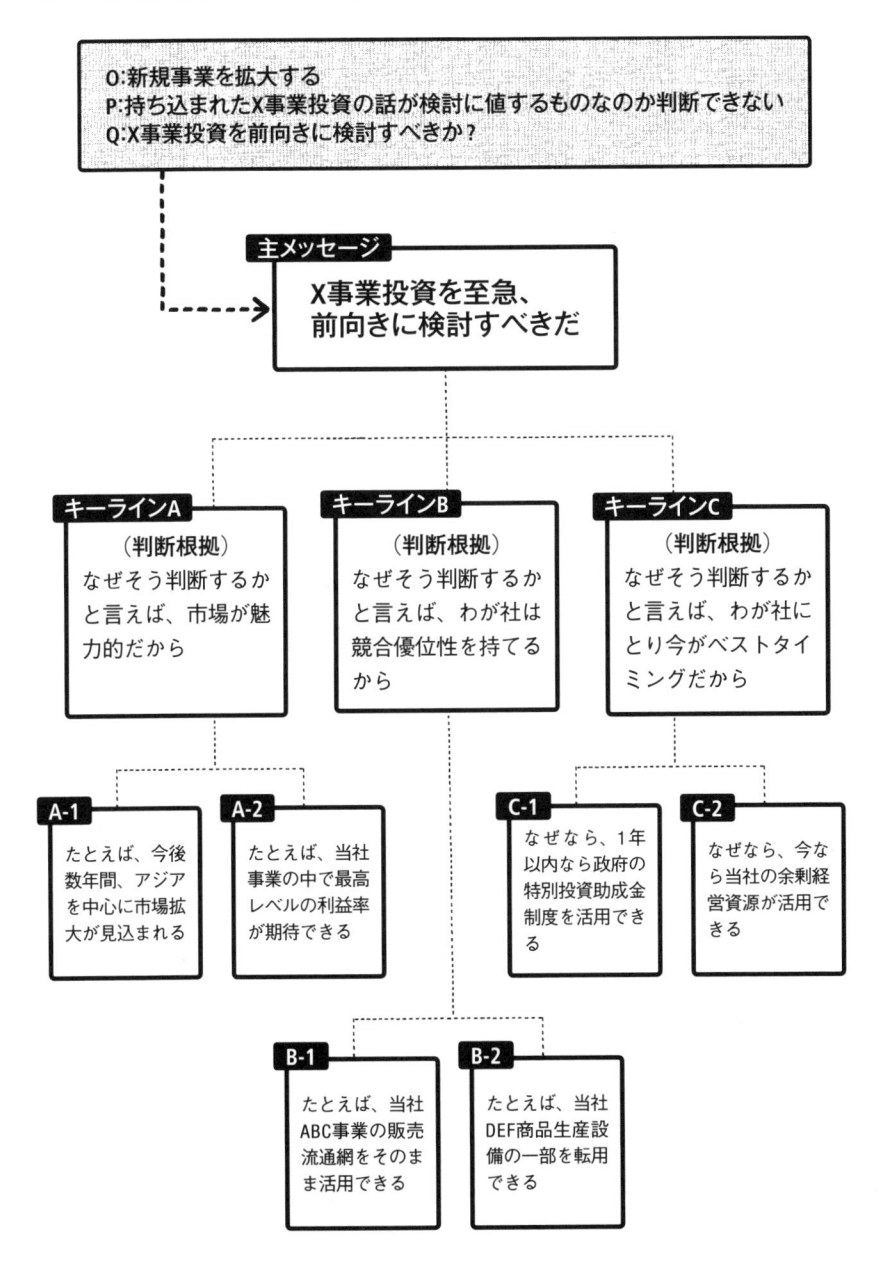

X事業投資：文書例

DATE：2010年5月10日
To　　：山下常務
From：経営企画部　竹田

subject：X事業投資（要ご確認）

先日、A銀行よりご紹介のあったX事業投資に関し、検討に値するものかどうかを判断すべく、まずは事業の将来性に的を絞って緊急分析を行いました。

【主メッセージ】

結論から言えば、X事業投資を至急、前向きに検討すべきだと判断します。以下、3つの観点からその根拠を説明いたします。

- 魅力的な市場
- 当社の優位性
- ベストの投資タイミング

1.魅力的な市場

【キーラインA】

まず、**X市場は成長性と利益率の両方において大きな魅力を有しています。**市場性という観点では、弊社が数年前から育成中のY事業に匹敵する可能性を有していると見られます。具体的には、

【A-1】
- **X市場は今後数年間、アジアを中心に大きな成長が見込まれます。**世界経済研究所の調査結果を分析すると、とりわけアジアでは、今後数年間、年率35％に及ぶ成長が期待できます。また、米国においても年率15％、日本国内においても……

【A-2】
- 利益的に見ても、**X事業は現在の当社事業の中で最高レベルの利益率が期待できます。**最も市場拡大が期待できるアジア市場においては、当初数年は営業利益率で30〜40％の達成が確実視され……

2.競合優位性 　　　　　　　　　キーラインB

第二に、当社は製販両面で大きな競合優位性を持つことができると判断します。

B-1
- 流通に関して言えば、当社のABC事業の販売流通網をそのまま活用することが可能です。X事業の顧客はその大半が……

B-2
- 生産面においても、当社DEF商品の生産設備の一部をX事業に転用する事が可能です。DEF商品を生産する３つの工場のうち、沼津工場は三島工場との統合が可能であり……

3.ベストの投資タイミング 　　キーラインC

最後に、**投資時期に関しては、今こそがベストタイミングと判断します。迅速な行動が求められています。**

C-1
- まず、**1年以内の投資であれば政府の環境事業特別投資助成制度を活用できます。** この制度を活用すれば、今後5年間にわたって投資金額の1/3が税額控除の対象となり……

C-2
- さらに、**今であればグループ内の余剰経営資源の有効活用が可能です。** すでに決定済みのBB子会社の売却に伴い、人的に見て……

　　　　　　　　★　　　★　　　★

本基本方針にご同意いただけましたら、早急にA銀行より詳細の営業／財務資料を入手し、正式な検討作業に入ります。今月末までに検討結果を報告できる予定で進めます。ご意見など至急いただきたくお願い申し上げます。

● 主メッセージの位置

　忙しいビジネスパーソンであればあるほど、読むべき文書にかける時間は極力減らしたい、というのが本音でしょう。主メッセージを冒頭に置くのは、そんな読み手の要求に応えるものです。結論が予想通りかどうかを最初に知ることができれば、その先を確認程度の斜め読みで済ませるかじっくり精査するか、読み手自身が読み方をコントロールできるからです。

　ただし、例外もあります。主メッセージに対し、読み手が異論反論を抱くかもしれない場合です。冒頭で気分を害しては、読み手は肝心の内容を最後まで読んでくれないでしょう。プレゼンでも、最初のスライドで紛糾すると時間切れになってしまいます。このような場合、リスクを回避するために主メッセージを最後に置きます。それで説得できるという保証はありませんが、少なくとも文書全体を読んでくれる可能性は高まります。

　同様に、あまり会ったことのない社内のお偉方や社外の顧客など、読み手の反応がまったくわからない場合も、主メッセージを最後に置くことが多々あります。

　一方、そもそも異論反論のある人は粗探し的な目で文書を読むので、主メッセージを最後に置かなければならないような事態では、いつもより厳密なメッセージ構成が求められると覚悟してください。

　主メッセージを置く位置は、章であれ段落であれ考え方は同じです。なお、最初と最後はあっても、固まりの中盤にメッセージを置くことはありません。

目次のつけ方

　eメールやペラ数枚程度の文書では不要ですが、社外に提出するような正式な文書や分厚い報告書には目次が必要です。目次は文書構成の表現であり、「いい文書は見ただけでピラミッド構造が目に浮かぶ」のと同様に、「目次を見ただけでピラミッド構造が目に浮かぶ」ものでなければなりません。

　ビジネス文書の目次は、おおまかに「内容を匂わせる目次」と「内容を匂わせない目次」の2種類に分けられます。要するに読み手に手の内を明かすか明かさないかの違いですので、原則として主メッセージを冒頭に置く場合は「内容を匂わせる目次」、最後におく場合は「内容を匂わせない目次」を使うことが多くなります。後者は読み手になるべく先入観を抱かせないようにして、最後まで読み通してもらわなければならないからです。

　書店に行って単行本を見れば、この違いがよくわかります。ビジネス書は内容をわかりやすく伝えたいので、内容を匂わせた目次にするのが一般的です。一方、小説では読み手に先入観を抱かせたくないので、内容を匂わせない目次にするのが一般的でしょう。推理小説などでは目次の表記すらない場合もあります。

　前述のケース「X事業投資」はメモ程度の短い文書でしたが、あえて目次をつけるとすればどうなるでしょうか。「内容を匂わせる目次」「内容を匂わせない目次」両方の例を次ページの図に挙げます。

X事業投資:目次例

- はじめに
- X事業投資を至急、前向きに検討すべきだ
- 今後のステップ

理由:
- 市場が魅力的だから
- 競合優位性を持てるから
- 今がベストタイミングだから

原則:主メッセージを冒頭

内容を匂わせる目次（例）
- はじめに
- 要約:X事業積極検討の提案
- I 魅力的な市場
- II 当社の優位性
- III ベストの投資タイミング

例外:主メッセージを最後

内容を匂わせない目次（例）
- はじめに
- I 市場性
- II 競合優位性
- III 投資タイミング
- 要約
- 今後のステップ

段落表現の ビジネス・スタンダード

　段落は、メッセージの最小単位（最も小さな固まり）を表す非常に重要な部分です。にもかかわらず、意味のない改行を無造作に行っている人がほとんどです。区切り方、見せ方ひとつで文書のわかりやすさがまったく変わってきますので、細心の注意を払ってください。
　段落の基本は、以下の3点です。

- メッセージごとに段落を作る（1段落1メッセージ）
- 段落の違い（メッセージの固まり）を明確に表現する
- 段落のメッセージ文を段落の冒頭に置く（主メッセージ同様、例外的に段落の最後に置くこともある）

　ここでも1段落1メッセージが鉄則です。ただし、事例を詳しく説明する場合など、あまりに文章が長くなってしまいそうなときには、例外として区切りのよいところで分割してください。その場合、分割した片方の段落はメッセージ文なしとなり、2つの段落で1つの段落メッセージを支持する形となります。しかし、1つの段落に2つ以上のメッセージが入ることはありえません。そういうときは段落を2つに分けます。
　段落メッセージもまた、主メッセージと同様に、ピラミッドの箱のメッセージを文書に置き換えていく作業となります。けっして内容を変えてはなりません。うまく書けない場合はピラミッドからやり直し、です。
　表現についても、メッセージ文はピラミッドの項で習ったように「しりてが」なしの単文にするのが原則です。複文にする場合は「ロジカル接続詞」を使用することになります。全体の構成から箱の中に至るまで

ピラミッドに忠実に、というのがライティングの原則になります。

● 段落は「改行＋大きめの行間」で

　実はここにも、学校教育の弊害があります。小学校の授業以来、作文であれ感想文であれ、段落の作り方は「改行した後に、文頭を一文字引き下げて書き始める」と習ったかと思います。しかし、このスタイルでは段落の区切りが目立ちません。メッセージの固まりがパッと見の印象に残りにくいため、実はビジネス文書に適していないのです。

　現代のビジネス・ライティングでは「改行に加えて、通常よりも大きめの行間を設ける」ことで段落の違いを目立たせます（右ページの図を参照）。

　なお、段落間をどれぐらい空けるかについては、特にルールはありません。フォントの大きさ、通常行間の設定によって違ってきます。区切りがはっきり見て取れればOKです。また、文頭の引き下げについては、下げても下げなくても構いません。行間が十分に空いていれば、それだけで段落の違いがわかるからです。不要なことはしないという現代のライティングの主流に従えば、文頭引き下げなしの方が一般的ではあります。

　ちなみに、欧米のビジネス文書もほとんどが右のようなスタイルです。これがビジネス文書のグローバル・スタンダードだと言えます。

ビジネス・ライティングにおける「段落の見せ方」

現代のビジネス・ライティングでは、パラグラフとパラグラフの間は通常行間よりも大きな行間とします。日本文も英文も同じです。ただし、パラグラフ間の行間を0.5行空けるのか、1行空けるのかというルールはありません。使用しているフォント・サイズや設定している通常行間にもよるからです。ルールは、パラグラフの違いが一目でわかる程度の行間を空けるということです。

改行＋大きめの行間

多くの小学校で教えている「文頭引き下げ」型のパラグラフの取り方は、一時代前のスタイルです。現代流、とりわけ、ビジネス・ライティングなどのロジックを重視するライティングでは、メッセージ構成をわかりやすくすることを強調します。残念ながら、「文頭引き下げ」型ではパラグラフの違いがわかりにくいのです。

なお、パラグラフの行間を大きくとれば、最初の文章の文頭を引き下げる必要がなくなります。最初の文頭は引き下げても構いませんし、引き下げなくても構いません。ただし、不要なことはやらないという現代流で行けば、文頭を引き下げない形式の方が主流ではあります。

段落の文頭は引き下げても、下げなくともよい

文章のわかりやすさは「接続詞」次第

内容がいかに優れていても、文章が読みづらければ台無しです。文章のわかりやすさは、「接続詞」で決まります。接続詞はロジックの最小単位なのです。文章表現の基本はピラミッド作成のコツ（86ページ）で紹介済みですので、ここでは接続詞を中心に解説します。

ロジカル接続詞

接続詞には、単に2つの文をつなぐだけの「and接続詞」（「しりてが」など）と、文をつなぐだけでなく論理的な関係を明らかにする「ロジカル接続詞」があります。ビジネス・ライティングでは、原則として「ロジカル接続詞」だけを使うよう心がけたいところですが、「and接続詞」は日常生活のそこかしこに潜んでいます。以下の文は、よく見かける典型的な例でしょう。

例：「この部署は若者がおらず、元気がない」（原文）

ここでは、「ず」という日本語特有の「and接続詞」を用いて、「この部署には若者がいない」（文A）、「この部署には元気がない」（文B）という2つの文章をつなげています。単に「A and B」と言っているだけで、両者の論理的関係は明確ではありません。

もちろん、よくよく考えてみれば、文Aが原因で文Bが結果の因果関係なのだろうという推測はつくのですが、読み手にそこまで察せよと言うのは酷でしょう。もし因果関係を意識して2つの文を接続するのであ

れば、たとえばこうすべきです。

　例：「この部署は若者がいないために、元気がない」
　例：「この部署は若者がいない結果、元気がない」
　例：「この部署は若者がいないので、元気がない」など

　このように論理関係を明確にしてくれる接続詞が「ロジカル接続詞」です。因果関係だけでなく、時間の流れを明らかにするもの（「……する前に」など）、対照・対比をはっきりさせるもの（「……である一方」など）、目的を表すもの（「……するために」など）など、「ロジカル接続詞」にはいろいろあります。詳しくは118ページの表にまとめましたので、状況に応じて使い分けてください。
　ちなみに英文ライティングでは、メッセージ表現する文章では「and」は原則、使用禁止にします。同じ内容を繰り返してメッセージを強調するというような意図的な使用を除いて、無意識のうちに「and」を使うことは避けます。私も米国系コンサルティング会社で何年もの間、英文レポートを書いてきましたが、たとえ30ページにわたる長い文書であっても、無意識のうちに「and」を使うことは一度もありませんでした。英文ライティングの機会が多い人は、ぜひお試しください。見違えるように読みやすくなることうけあいです。

ロジカル接続詞の例

ロジックの種類	日本語	英語
時間	……する時に	when
	……する前に	before
	……した後に	after
	……するまで	until
	……して以来	since
対照・対比	……である一方	while, where, whereas
	……であるけれど	although, though, even though, however
原因・結果	……であるがゆえに	because, since, as
	……の結果	so...that, such...that, as a result
	……であるにもかかわらず	despite that, in spite of
目的	……するためには	in order that, so that
条件	もし……ならば	if, in the event that
	もし……でなければ	unless
	……になるという条件で	provided that

●「しりてが」接続詞の使用ルール

　日本語で「and接続詞」の代表といえば、「しりてが」です。とりわけ「が」は、「but（逆接）」だけでなく「and（順接）」としても使われるやっかいなものです。ちなみに、1959年出版の古典的名著『論文の書き方』（清水幾太郎著、岩波新書）では第三章を丸々使って「が」への警戒を促しています。半世紀前から指摘されている問題なのです。

　　例：「来月ならば参加可能だが、今月は無理だ」(but)
　　例：「私は来週の会議に出席する予定だが、あなたも出席しないだろうか？」(and)

　ロジック表現としては困りものなのですが、「しりてが」接続詞は日本語と切っても切れない関係にあり、まったく使わずに文章を書けと言うのも無理があります。そういうわけで、書くプロセス限定で「しりてが」を部分解禁とします。

　すなわち、書くプロセスにおいて、メッセージ文章についてはピラミッド同様「しりてが」禁止ですが、メッセージを支持・説明する補足説明文に限り、2つか3つまでなら見逃し可、としましょう。もちろん、考えるプロセスやピラミッドを作成するときは全面禁止です。

　　例：「結論から言えば、業務用市場に関しては十分なビジネスチャンスがあると判断します。非常に仮説的であり、さらに詳細の検討が必要なことはもちろんではありますが、積極的に検討する価値があります」

この例では第一文がメッセージ文です。「しりてが」なしの1つの文章で明快に表現されています。第二文が補足説明文です。ここでは、「しりてが」を用いて3つの文をつないでいます。このぐらいであれば問題ないと思います。

ともあれ、「しりてが」をなるべく使わないようにするには、何より自分自身が「しりてが」に敏感になることです。幸か不幸か、新聞でも雑誌でも、「しりてが」を見ない日はないといっても過言ではありません。122ページ以降の練習問題を手始めに、「しりてが」探しを日課としてみてはいかがでしょうか。

曖昧な接続詞は誤訳のモト

国内市場の成長にかげりが見える昨今、海外展開に力を入れる日本企業が増えています。英語のみならず、中国語やタイ語やインドネシア語など必要となる言語もさまざまで、日本語で書かれた指示書を現地語に翻訳することは日常茶飯事となっています。この外国語の翻訳において最大のボトルネックになるのが、接続詞です。単刀直入に言えば、誤訳の最大の原因は「しりてが」接続詞にあります。

たとえば、「しりてが」接続詞が多用された日本語文書を英語に訳さなければならないとしたら、翻訳者はどうするでしょうか。おそらく「and」でつなぐしかないのではないかと思います。結果として、「and」だらけのロジック不明な英文ができあがる、というわけです。つまり、「しりてが」で覆い隠されていた日本文のごまかしが表面化するわけです。

外国語に翻訳する際に誤訳されないようにするコツ、あるいは、効率的に翻訳文書を作るコツをお教えします。以下を実行すれば、たとえば、これまで1カ月以上かかっていた中国語のマニュアル作りが2週間以下に短縮するはずです。要は、日本語の原文から曖昧さを排除すればよい

のです。

- 日本語の「しりてが」を全文から排除します。日本語表現としてはぎこちなく感じられるかもしれませんが、気にしないでください。最終的な成果物は外国語文書なのです。
- すべての文章に主語を入れます。つまり、「主語なし文」をなくすわけです。うっとうしく感じられるかもしれませんが、いずれにせよ外国語のほとんどで主語は必要なのです。だとすれば、翻訳者任せにせず、誤訳のないように最初から主語ありで書くべきなのです。
- 意図的な場合を除いて、「見直し」などの「あいまい言葉」をなくします。これも誤訳のモトです。もし意図的にごまかし表現のまま相手に伝えたい場合は、その旨を翻訳者に直接説明するのがよいでしょう。翻訳者には「あいまい言葉」が意図的なものなのかどうか判断がつかない場合が多いからです。あるいは、文脈でその意図を理解させるしかありませんが、ここまでくるとかなりの高等テクニックになります。意図的な「あいまい言葉」の使用が難しいのは、外国語でも日本語でも同じです。ここで問題にしているのは「無意識なあいまい言葉」であり、「無意識なしりてが」なのです。

海外向けであれ国内向けであれ、ビジネス・ライティングの基本は同じです。曖昧さを避け、明快にロジカルに表現するということです。

練習問題⑬　今週の金融市場

以下の問題（原文）を読んで「しりてが」を探してください。そのうえで、修正文を書いてみましょう。なお、ここに挙げた原文はすべて実際に書かれた文書からの抜粋です。

原文（実際のレポートからの抜粋）

> 今週は週初めに失業率が発表され、この数字が景気の遅行指標であるにもかかわらず予想よりよい数字が出たため、ゼロ金利の解除懸念が再燃し先物金利の上昇圧力が高まったが、週央には突然のように中堅生保破綻の発表があり、金融システム不安への当局の柔軟な対処の予想が大半を占め、再びゼロ金利解除見通しが遠のくという波乱のマーケットとなった。

修正見本

> 今週初めに発表された失業率は、本来、景気の遅行指標であるにもかかわらず、予想よりよい数字だった。このためにゼロ金利の解除懸念が再燃し、結果として、先物金利の上昇圧力が高まることになった。しかし、週央には突然、中堅生保の破綻が発表された。これを受け、金融システム不安に対し当局が柔軟な対応をとるだろうとの予想が大半を占めることとなり、その結果、再びゼロ金利解除の見通しが遠のくことになった。波乱のマーケット展開であった。

　原文では「しりてが」が多いために、メッセージの展開がわかりにくくなっています。そこで、修正見本では、各文章を短くするとともに、しりてが接続詞をロジカル接続詞に置き換えています。

練習問題⑭　ビジネススクール推薦状

以下の問題（原文）を読んで「しりてが」を探してください。そのうえで、修正文を書いてみましょう。

原文（実際の推薦文からの抜粋）

> 私はA君の職場の上司ですが、この度、彼が貴校に入学を希望していると聞き、ぜひ入学を許可していただきたいと推薦するものであります。A君は、何事にもチャレンジする積極性を持ち、快活な性格であり、勤勉で信頼性のある仕事ぶりで、当社の中でも群を抜いた評価を得ております。具体的には……。

修正見本

> A君を貴校入学生として強く推薦します。私はA君の上司として、過去3年間にわたり、彼の仕事ぶりを身近で観察してきました。結論から言えば、彼は、とりわけ「チャレンジ精神」と「信頼感あふれる仕事ぶり」という2つの点で、同年代社員の中で群を抜いた資質を見せてくれました。また性格的に見ても、彼の快活さは組織に活力を与える源になっています。具体的には……。

　原文では「しりてが」の使用が邪魔している結果、メッセージの絞り込みが上手くなされていません。修正見本では、メッセージを絞り込み、ストレートに表現するようにしてみました。

練習問題⑮　新計画策定プロセスの導入

以下の問題（原文）を読んで「しりてが」を探してください。そのうえで、修正文を書いてみましょう。

原文（実際のレポートからの抜粋）

> 新計画策定プロセスは中央集権的であり、分権化し独立した事業会社に導入する場合は、事業会社とのコミュニケーションが重要であり、これをどうすればよいのか。解決策としては、本社から、各事業会社の経営陣に対し新プロセス導入の意義について納得いくまで説明し、新計画策定プロセスの実施上の透明性を保証することが肝要だと考えます。

修正見本

> 新計画策定プロセスは中央集権的な性格を持つために、分権経営が特徴の事業会社に導入する場合には大きな抵抗が予想される。この抵抗を乗り越えるためには、本社経営者が直接、（1）各事業会社の経営陣に対し新プロセス導入の意義について納得いくまで説明し、かつ、（2）新プロセスの実施にあたってはその透明性を保証することが成功のカギだと考える。

　原文では、「しりてが」などの影響のため、冒頭文にもたつきを感じます。冒頭文がもたつくとどうしても後に続く文章の印象が悪くなります。修正見本では、まず冒頭文を明快な表現に修正したうえで、自分の考えをわかりやすく表現するように工夫してみました。

読み手を引きつける「導入部」

　導入部はメッセージを述べるのではなく、メッセージに向けて読み手の関心を誘導する役割を担います。落語の「枕」と同じで、題目に関係のある小噺でお客の興味を引きつけ、その流れで本題に入ります。

　簡単な社内文書はさておき、何人もの読み手を対象とする正式な文書やプレゼン資料などでは、導入部は不可欠です。複数の読み手／聴衆がいる場合、彼らの理解度や関心が人によって違うため、いきなり本題に入ってもついて来れない人が出てくるからです。

　導入部では、「その文書を書くことになった経緯の説明」など、読み手の関心を確認したり引きつけたりするための情報が盛り込まれます。ここで有効なのが、1章で学んだ「OPQ分析」です。そもそもOPQ分析から導き出した読み手の疑問に基づいてピラミッドを作ったわけですから、OPQの部分をうまく利用すれば、よいガイドになるのです。

　この「つかみ」の部分で読み手を引きつけられなければ、元も子もありません。まず、読み手の視点で記述するということを強烈に意識してください。簡潔をモットーに、数ページ程度の文書であれば、長くともパラグラフ3つ以内に収めるようにしましょう。

　手始めに、書き手視点で書かれたありがちな失敗と、その修正例を見てみましょう。

書き手の視点で書かれた導入部（悪い例）

> **はじめに**
>
> 今回、ご紹介させていただく「SCMカテゴリマネジメント・システム」は、弊社SCMチームが、国内を代表するAA小売グループ、BB卸しグループ、CC代理店グループの協力を得、24カ月にわたる調査・研究の結果、開発に漕ぎ着けた最新のカテゴリマネジメント・システムです。本提案書では、まず、本システムの概要を説明したうえで、システムの利点、導入事例について解説しています。

　書き手の都合ばかりを述べた典型例です。ここには一切読み手の視点がありません。ダイレクトメール（DM）であれば中身も読まずに即座にゴミ箱行き、でしょう。

　では、読み手はどのような疑問を持っているのでしょうか。読み手のOPQを以下のようなものだとします。

- 読み手のO：効果的なカテゴリ戦略の実現を可能にしながらも、運営に手間・人手のかからないカテゴリマネジメント・システムを導入したい
- 読み手のP：いろいろなシステムがあるが、いずれも運営に手間・人手がかかる
- 読み手のQ：運営に手間・人手のかからないカテゴリマネジメント・システムはないのか？

　これらを踏まえて書いたのが右の修正例です。違いは一目瞭然です。

読み手の視点で書かれた導入部（修正例）

> はじめに
>
> 今日、主要小売店様のほとんどは何らかの形でカテゴリマネジメント・システムを導入しています。カテゴリマネジメント・システムには、新製品重視型、販促重視型などさまざまな種類があります。しかし、いずれのシステムも、共通して、システムの管理運営に多大な手間・人手がかかることが大きな問題になっています。カテゴリマネジメントの本来の目的が効率的なカテゴリ戦略の実現であることを考えれば、これは大きな矛盾と言えます。それでは、本当に、効果的なカテゴリ戦略の実現を可能にしながらも、運営に手間・人手のかからないカテゴリマネジメント・システムは存在しないのでしょうか？
>
> 今回、ご紹介させていただく「SCMカテゴリマネジメント・システム」は、まさにそのような疑問をお持ちの小売店様のために開発された新システムです。本提案書では、まず、本システムの概要を説明したうえで、システムの利点、導入事例について解説しています。

● OPQ分析を使って導入部を作る

このように導入部は、ピラミッドの外にいる読み手に心の準備をさせて、ピラミッドまでつれていくという役割を担っています。つまり、読み手の疑問を導き出すOPQ分析を利用すれば、おのずと読み手の関心を引く導入部となるはずです。OPQを直接文章化した例が、次ページの「不良資産監視体制」の例文です。

例:不良資産監視体制

あなたは経営戦略室リーダーです。半年前に一新された経営委員会メンバー宛てに報告書を提出すると仮定します。

- 読み手のO：健全な財務体質を維持する
- 読み手のP：3カ月前の内部監査で子会社の不良資産100億円の存在が発覚した。この不良資産は10年以上前に発生したものらしいが、今まで見過ごされてきたことは大きな問題だ
- 読み手のQ：なぜこのような不良資産が見過ごされてきたのか？

導入部の例

当社では、半年前、新たな経営委員会の下、「健全な財務体質の維持」が経営最優先事項の一つとして確認されました。しかしながら、その3カ月後、内部監査において、子会社A社に100億円に及ぶ不良資産が存在することが判明、しかも、この不良資産は10年にわたり見過ごされてきたものであることが明らかになりました。100億円にも及ぶ不良資産の発生は大きな問題ですが、経営委員会においては、この不良資産が10年もの間、見過ごされてきたという事態により大きな驚きと危惧を抱きました。

なぜ10年にもわたり、このような多額の不良資産が見過ごされてきたのか？　当社の内部管理・監査体制は満足に機能しているのか？……経営委員会は、経営戦略室に対し、至急かつ徹底的な原因解明を命じました。本報告書は、経営戦略室が1カ月にわたり実施した緊急調査結果をまとめたものです。

なお、導入部はあくまでも「つかみ」なので、OPQすべてを網羅する必要はありません。一部をはしょったり、統合したり、表現を変えたり、あるいは、順序を変えても構いません。読み手を本文に向かって効果的にガイドできればよいのです。再度、106ページで登場したX事業投資の例を見てみましょう。

例:X事業投資

- 読み手のO：新規事業を拡大する
- 読み手のP：A銀行からX事業投資の話が持ち込まれたが、検討に値する事業なのか判断できない
- 読み手のQ：X事業投資を前向きに検討すべきか？

導入部の例

Date：2010年5月20日
To　　：山下常務
From：経営企画部 竹田

Subject：X事業投資（要ご確認）

先日、A銀行よりご紹介のあったX事業投資に関し、検討に値するものかどうかを判断すべく、まずは事業の将来性に的を絞って緊急分析を行いました。

導入部
（OPQをベースにしたこの一文で導入部の役割を果たしている）

結論から言えば、至急、X事業投資の積極的な検討に入るべきだと判断します。以下、3つの観点からその根拠を説明いたします。

例:売上頭打ち

　ある経営コンサルタントが、某企業の経営陣に対し、プロジェクト提案を行おうとしています。読み手のOPQは以下のようになりました。

- 読み手　　：2010年に誕生した新経営陣
- 読み手のO：2015年までに売上1000億円企業の仲間入りを果たす（2010年に5カ年事業計画を作成）
- 読み手のP：計画実施後1年程度は目標に向かい順調に推移していたのだが、この半年、売上が頭打ちになってきた。いろいろな手を打ったが、軌道に戻る兆しが見えない
- 読み手のQ：どうすれば今の売上頭打ち状況を打破することができるか？

　あなたが提案するプロジェクトの目的は、上記の「読み手のQ」（どうすれば今の売上頭打ち状況を打破することができるか？）に対する答えを調査し、見つけ出すことです。忙しい経営陣に対し、このプロジェクト提案に興味を抱いてもらえるように、OPQを生かしてうまく導入部を書かなければなりません。そこで作成したのが右ページの文例です。

　なお、経営コンサルタントの提案書は4部構成が大原則です。「第1章　現状の理解」「第2章　プロジェクトの目的」「第3章　プロジェクト・アプローチ」「第4章　プロジェクト体制」。この中で「第1章　現状の理解」が導入部の役割を果たします。

導入部の例

第1章　現状の理解

御社は、2010年3月、経営陣交代を期に、売上1000億円の達成を目標とした5カ年事業計画を発表した。この売上1000億円という数値目標は単なる努力目標ではなく、1000億円企業への仲間入りという象徴的な意味を持つものとして全経営陣合意の下で設定された現実的な目標である。

実際に、計画実施から1年間は前年比115％の売上を達成し、目標に向かい順調な滑り出しだった。しかし、その後、売上は頭打ち状態に突入し、この半年間は前年の売上を維持するだけで手一杯という状況である。この間、いろいろな手を打ったものの、いまだ成長軌道に戻る兆しは見えていない。このままで行くと、1000億円企業の仲間入りは絵に描いた餅に終わってしまう。

業績を成長軌道に戻すにはどうすればよいのだろうか、そもそも業績頭打ち状態の真の原因はどこにあるのだろうか？　御社はこれらの疑問に答えを出し、売上1000億円の達成を現実のものとするために、弊社に協力の可能性を打診することにした。

「結び」で今後のステップを示唆する

結びは、必ずしも必要なものではありません。分厚い文書でなければ省略してかまいません。本文の冒頭で主メッセージが明快に述べられていれば、それでよいのです。ましてや、結びで新たなメッセージを書くなどもってのほかです。

ただし、提案書などの場合には、原則として、次のステップに向けて読み手の確認・行動を促す必要があるため、結びをつけます。例外的な原則です。

結びの例（提案書）

XXXXXXXXXXXXXXXXXXXXXXXXXXXXXXXXX。XXXXXXXXXXXXXXXXXX
XXXXXXXXXXXXXXXXXXXXXXXXXXXXXXXXXXXXXXXXXXXXX
XXX。XXXXXXXXXXXXXXXXXXXXXXXXXXXXXXXXXXXXXXXXXX
XXXXXXXXXXXXXXXXXXXXXXXXXX。

★　　　　★　　　　★ ←サンセット

本提案書にご同意いただけるようでしたら、早急に、ABC社山本社長とのトップ会談を設定いたします。同時に、市場規模や成功要因などに関する詳細調査を実施いたします。来月末までに、ABC社との間で基本方針の合意に漕ぎ着けたいと考えます。ご検討をお願い申し上げます。

提案書の結びには明快な目的があります。提案内容に対して読み手の合意を迫ることです。とりわけ、〇月×日までに合意しなければならないというような明確なデッドラインがある場合は、締切日を強調して早急の合意を迫ってください。

　しかし、締切日もないのに「……日までに決断してくれ」と言えば読み手の不興を買いかねません。一般的なエチケットに反することは避けるべきですが、一方で、提案内容に対し、早期の返答を求めるのは当然の要求と言えます。そうした場合の決まり文句がこちらです。

「この提案にご同意いただけるならば、早急に……に取りかかります」。これにより、「だから気分が変わらないうちに急いで決めてくれ」、あるいは「次のアクションが間に合うように急いで決めてくれ」と、暗にプッシュするわけです。この手の表現は、皆さんも得意とするところではないでしょうか。

　なお、「結びの例」で「★」マークが3つ書いてあるのは、「サンセット」（日暮れ）と呼ばれる記号です。日暮れどきに水平線に浮かぶ星を意味します。つまり、一日の終わりを示す記号、本文の終わりの印です。文書の終わりの合図なので、文書の前半や途中では使いません。サンセットの代わりに、通常より大きめの行間を取るだけでもOKです。

よくある質問

Question

導入部は簡潔に、数ページの文書ならば長くとも3つ程度のパラグラフで抑えるべきだとありました。しかし、これまでの経緯の確認などを行うために、導入部がどうしても長くなってしまう場合にはどうすればよいのでしょうか？

Answer

事情によっては、詳細な背景説明を求められるケースもあるでしょう。「導入部は長くなるが、主メッセージはできるだけ文書の初めに登場させたい」ときの奥の手が「大要約」です。いわゆるエグゼクティブ・サマリーのようなもので、導入部を含めた文書全体を簡潔にまとめ、文書の冒頭に配置します。この場合、導入部には改めて見出しが必要になりますのでご注意ください。

大要約の位置づけ（例）

	タイトル
	大要約
見出し	背景（導入部）
見出し	主メッセージ

★　　　　★　　　　★

　これでピラミッド原則の基礎トレーニングは終了です。これまで見てきたように、文書を書くという直接的な作業では、考えるプロセスで完成したものをいかにそのまま紙に表現するかが大切なのです。けっしてこの段階で迷ったり考え込んだりしないこと。少しでも疑問を感じたら、ピラミッドに戻って考えの構成を修正するようにしてください。

　ここまでくれば、あとは実践あるのみ、です。終章では、日々仕事をこなしながら行える具体的なトレーニング方法をご紹介します。

終章
メール劇的向上術
毎日のメールでピラミッドが身につく一石二鳥作戦

ライティングは実践の技術です。
知識を得ただけでは身につきません。
習慣化するまで何度も試行錯誤しなければなりません。
私の研修プログラムでも、受講生の皆さんに
研修後の普段の生活の中でピラミッドを使ってもらえるよう
フォローアップの仕掛けにいろいろな工夫を凝らしています。
本章では、最も日常的な「メール」を使って、
メールが劇的にわかりやすくなるうえにピラミッドも身につく、
一石二鳥の実践練習を紹介します。

メールが見違えるように変わる「感謝の言葉にPDF」

　今やメールはビジネスの必需品です。否が応でも毎日書くものですから、これをライティングの練習に使わない手はありません。

　通常のビジネス文書と異なる点は、読み手の置かれた状況です。1日に50通以上のメールを受け取る人などざらにいますし、携帯端末でメールを確認できる人であれば、何時であろうとどこにいようとメールから逃れることができません。あなたが送るメールは、相手にとって、そんな氾濫状態の中の1通なのです。タイミングによっては、携帯電話の小さな画面でいらいらしながら読まれる、ということも十分にありえます。メールを書くことは、通常のビジネス文書よりもさらに難易度が高いのです。

　まず、メールの基本的な注意点をおさらいしましょう。

- 何を言いたいのか即座にわかるよう、主メッセージは明快に、メール本文の冒頭に
- 全体の分量はもちろん、段落も文章も短くコンパクトに（長いメール、長い段落はそれだけで読む気が失せる）
- ロジック展開がわかりやすい箇条書き的な表現がよい。だらだら散文は厳禁
- 次のアクションを具体的に表現する（読み手にどのようなアクションを求めているのか、書き手は次に何をやるのか）

　要するに、いつもよりもさらに「簡潔にわかりやすく」を心がけるということです。では、具体的にどうするか。メールが見違えるように向

上する秘策が「感謝の言葉にPDF」という合言葉です。本章の最後に実践者の声を紹介しますが、すぐに効果が出る非常に実践的なフォーマットです。

以下、「感謝の言葉にPDF」を順に説明しましょう。

感謝の言葉

ビジネス・メールでは、いきなり本文に入らずに、まず簡潔に1行か2行を使って感謝の言葉を述べるようにします。理由は2つあります。

第一に、主メッセージが読み手にとって好ましくない内容の場合、いきなり主メッセージから始めると気分を害される恐れがあるからです。「感謝の言葉」から始めれば、出合い頭の危機を回避できます。

第二に、読み手だけでなく、実は書き手も追い立てられるようにメールを書く場合が多いからです。気ぜわしさのあまり、つい読み手への敬意を失い、自分勝手な失礼なメールを書いてしまいがちです。最初に「感謝の言葉」をしたためることで、読み手への敬意が頭の中に蘇り、その後の文章を冷静に書くことができます。「感謝の言葉」は、自分勝手なライティングへのブレーキとなるのです。

P（主メッセージ部分）

PはPurpose Statement（目的文）、つまり、主メッセージ部分のことです。「感謝の言葉」から1行空け、本文との区切りを明確にしてください。Pの冒頭に主メッセージ文を置きます。「しりてが」なしの単文で表現し、補足があれば別の文章にして続けます。

D（詳細）

DはDetail（詳細）の略です。主メッセージの理由や判断根拠、内容説明、具体案などのことです。PとDでピラミッドを構成します。つま

り、PとDが本文になります。いくつか項目がある場合は箇条書きにしましょう。メールソフトの箇条書き機能を用いれば、自動的に本文の前後にある程度の行間を取ってくれます。手作業で入力する場合は、Dの終わりを必ず1行空け、本文と結びの違いを見えやすくします。

F（今後のアクション）

　FはFollow-Through（フォロースルー）の略です。4章で習った「結び」に当たるもので、「提案書における今後のステップ」のように具体的に記します。読み手に求めるアクション（「……日までに……してください」など）、自分のアクションの説明（「……日までに……します」など）、あるいはその両方を記載します。

　では実際に、「中村君の昇進」のメール例を見ながら、「感謝の言葉にPDF」を確認してください。

例:中村君の昇進

　現在、吉田さんは、部下の中村さんをチーム・リーダーに抜擢昇進させようと考えています。ただし、吉田さんは中村さんと一緒に働いてまだ半年程度しか経っていません。そこで、中村さんが以前所属した部署の上司である山岸さんに、中村さんに対する評価を聞くことにしました。吉田さんの疑問は「中村君をチーム・リーダーに昇格させて大丈夫だろうか？」です。

　右ページが、山岸さんから吉田さんへの返信メールです。

メール文例

DATE：2010年5月10日

To　吉田さん
From　開発総務部　山岸

件名：中村君の昇進に関して

吉田さん

ABCプロジェクトのアドバイス、本当にありがとう。助かりました。　← **感謝の言葉**

ところで、問い合わせのあった中村君の件、中村君はチーム・リーダーとして十分にやっていけると思います。吉田さんとまったく同意見です。私は、前の職場で3年間、彼の上司としてやってきたが、彼を非常に高く評価しています。　← **P（主メッセージ）**

- 第一に、彼は非常にリーダーシップがあります。吉田さんもご存知のA商品は、実質、彼がリーダーになって商品化したようなものです。
- また、部下の面倒見もとてもよいです。部内では、若手から慕われる兄貴分的な存在でした。

← **D（詳細）**

もし何か気になっている点や聞きたい点があれば、いつでもお電話ください。今月25日から米国出張の予定が入っているが、それまではこちらにいます。それではよろしく。　← **F（今後のアクション）**

山岸
開発総務部

どんな人でも、1日に最低数通はメールを書く機会があるはずです。「感謝の言葉にPDF」を、毎日実践してください。おそらく、半分以上のメールでこのパターンがそのまま適用できると思います。「毎日」というのがポイントです。そうすれば、1週間も経たないうちに、周囲の人がびっくりするほど簡潔でわかりやすいメールが身につきます。

しかもこの練習は、メールのみならずピラミッド・ライティングまでうまくなるという、一石二鳥の実践練習なのです。

- メールや文書で一番に伝えるべき主メッセージへの意識が自然に高まります
- 主メッセージ作成を通じて、「しりてが」に敏感になり、「あいまい言葉」を使わなくなります
- PとD（箇条書き）を意識することが、ピラミッド作成の練習になります。実際、ほとんどの場合、PとDはピラミッド型のロジック構成になっているはずです

最後に、よくありがちなメールを以下に紹介します。「感謝の言葉にPDF」の使用前・使用後を確認してみてください。

例：米国小麦農家

某商社シカゴ支店駐在員のメールです。懇意にしている日本の顧客（農業機械の部品メーカー）から「米国小麦農家の経営は、数年来、厳しい状況が続いていた。しかし、最近、上向いてきたという話を聞いている。実際のところ、どうなのだろうか？」という問い合わせがありました。右のメールはその返事です。次に、「感謝の言葉にPDF」を実践した修正見本を挙げます（144ページ）。

原文（「感謝の言葉にPDF」使用前）

DATE：2010年2月3日

To　XYZ社吉田部長
From　山本一郎（ABC商事シカゴ支店）

件名：米国小麦農家の経営見通し

吉田様
先日、一時帰国の折は大変お世話になりました。
さて、お問い合わせのあった掲題の件、U.S. Food Report誌によると、半年前、中国が米国に大量の小麦注文を出したそうです。
同様に、ほぼ同時期ですが、ロシアも大量の注文を出したことが同誌で報じられており、さらに各種情報によると、この数カ月間、欧州各国も米国に強含みの小麦注文を続けているようで、その結果、米国における小麦農家の経営は急速に改善しつつある模様です。
ここ１年の世界における堅調な小麦需要がこの背景にあるのは間違いありません。
来週中に詳細レポートをお送りしますが、まずは要約ご報告まで。
今後ともよろしくお願い申し上げます。

山本一郎
ABC商事シカゴ支店

修正見本（「感謝の言葉にPDF」使用後）

DATE：2010年2月3日

To　XYZ社吉田部長
From　山本一郎（ABC商事シカゴ支店）

件名：米国小麦農家の経営見通し

吉田様
先日、一時帰国の折は大変お世話になりました。ありがとうございました。

さて、お問い合わせのあった米国小麦農家の経営状況の件、結論から言えば、米国における小麦農家の経営は急速に改善しつつある模様です。ここ1年の世界における堅調な小麦需要がこの背景にあるのは間違いありません。たとえば、

- U.S. Food Report誌によると、半年前、中国が米国に大量の小麦注文を出したそうです。
- ほぼ同時期ですが、ロシアも大量の注文を出したことが同誌で報じられました。
- さらに各種情報によると、この数カ月間、欧州各国も米国に強含みの小麦注文を続けているようです。

来週中に詳細レポートをお送りしますが、まずは要約のみご報告させていただきます。他に何か必要な情報や疑問などありましたら、遠慮なくご連絡ください。今後ともよろしくお願い申し上げます。

山本一郎
ABC商事シカゴ支店

「1日1回ピラミッド」×4カ月

「感謝の言葉にPDF」だけでも十分にメールは上達しますが、ピラミッドを完璧に自分のものとするには、もう少しトレーニングが必要です。併せて行えば鬼に金棒なのが、「1日1回ピラミッド」です。これを4カ月、続けてください。あくまで私の経験則ですが、そのぐらい続けられれば、ピラミッドがすっかり習慣化しているはずです。

大切なのは、継続することです。毎日続けられるよう、なるべく負担の軽い方法をご紹介します。1日の終わりに、以下の方法を試してください。

1日1回ピラミッド

今日書いたメールのうち、なるべく中身のあるものを1つ選び、10分間で簡単なピラミッドを書いてみます。

本来は、ピラミッドからメールを作るのが筋なのですが、外回りなどで時間に限りのある人や書くべきメールが多い人には向いていません。そこで、順序を逆にするわけです。もちろん、題材はメールでなくても大丈夫です。今日のメモ、会議、出来事、新聞の社説などを対象にしても構いません。メッセージが存在するものであれば何でもOKです。
「1日1回ピラミッド」を4カ月続けると、1回×週5日×16週（4カ月）＝80回、4カ月で80のピラミッドを練習できるわけです。それでマスターできるのなら、意外とお得だと思いませんか。

ただし、いくつかコツがあります。

ピラミッドは簡単に

　複雑なピラミッドは書かないようにします。主メッセージとキーラインだけの、一番シンプルなピラミッドにとどめておくのがコツです。基本さえきちんとできれば、あとはいくらでも大きなピラミッドを作れるようになります。最初から複雑なものを作ろうと頑張りすぎると長続きしません。簡単なものを継続させるのが最大のポイントです。

OPQを書き留める

　ピラミッドは簡単でよいのですが、練習のためにOPQは書き留めるようにします。読み手の視点に立つというのは実に難しいものです。ピラミッド本体と同様にこれも習慣化が大切です。

10分以内で終わらせる

　1回に費やす時間は10分以内としましょう。あれこれ悩んでしまうと、毎日続けられなくなります。時間より回数、継続することが習慣化のカギなのです。

　毎日続けているうちに、文書が短く、わかりやすくなっていくことが自分でもはっきりと感じられるはずです。2カ月経つ頃には、書き始める前に頭の中にピラミッドが浮かぶようになります。しかも、ライティングのときのみならず、たとえば会議で意見を問われたとき、問題解決策を話し合うときなど、さまざまな場面で自然にピラミッドが浮かび、ロジカルに受け答えできるようになります。いったん習慣化すれば、以降は週に一度、必要なときにピラミッドを書けば十分です。

　最後に、前項で取り上げた「中村君の昇進」「米国小麦農家」のメールからピラミッドを書いてみました。この程度のシンプルなピラミッドで問題ありません。

例1:中村君の昇進

読み手:吉田部長
O:有能な人をチーム・リーダーに据える
P:中村君をリーダーにしてよいかわからない
Q:中村君はリーダーとしてやっていけるか?

↓

中村君はチーム・リーダーとしてやっていける

判断根拠

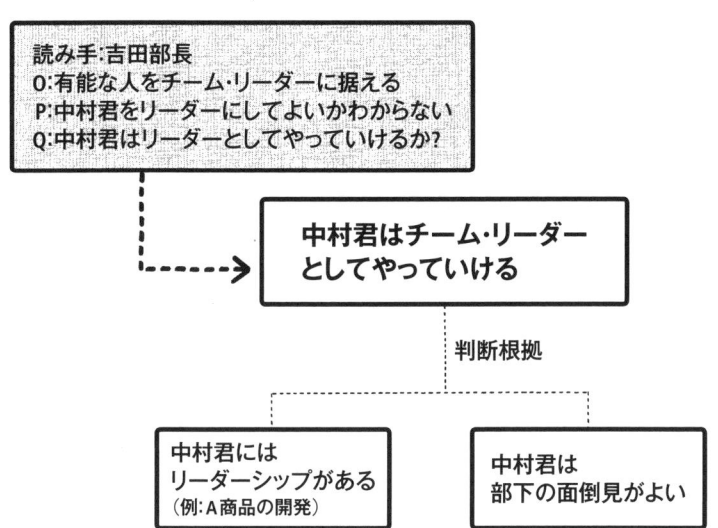

- 中村君にはリーダーシップがある（例:A商品の開発）
- 中村君は部下の面倒見がよい

例2:米国小麦農家

読み手:吉田部長
O:米国小麦農家の経営状況を正しく把握する
P:経営が最近上向いてきたという話を聞いたが、本当かどうかわからない
Q:米国小麦農家の経営は本当に上向いてきたのか?

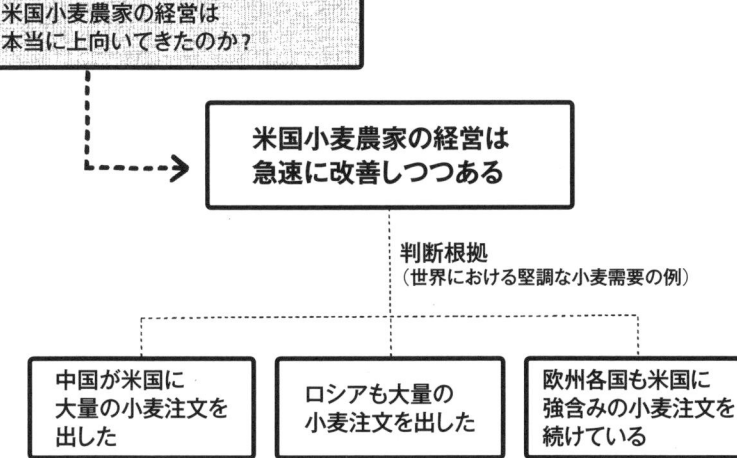

↓

米国小麦農家の経営は急速に改善しつつある

判断根拠
（世界における堅調な小麦需要の例）

- 中国が米国に大量の小麦注文を出した
- ロシアも大量の小麦注文を出した
- 欧州各国も米国に強含みの小麦注文を続けている

「感謝の言葉にPDF」「1日1回ピラミッド」は劇的に効果の上がる方法です。参考までに、私が企業研修等で見聞きした実例をご紹介します。

「感謝の言葉にPDF」で見違えるようなメールに

あるハイテク企業のエンジニアの方はこう語ってくれました。
「主メッセージを冒頭に書くことには抵抗感があったのですが、社内の営業にメールを書くときに試してみました。驚きましたよ！　送信して10分もしないうちに相手から内線電話がかかってきたんです。『さっきのメールの件だけど、ぜひ一緒にお客のところに行こう。いつ空いてる？』と。メールでこんなにすぐに反応が返ってきたのは初めてです」

また、ある外資系医療機器企業ではこんな声が聞かれました。
「ある日を境に、突然部下のメールが変わったんです。ダラダラ・メールが見違えるようにわかりやすくなりました。不思議に思って尋ねたところ、『感謝の言葉にPDF』を教えてもらったという説明でした」

利益を呼ぶライティング

某大手銀行の本部研修を始めてもう10年以上になります。数年前のことです。半年前に研修を受けたという方が、1冊のノートを手に訪ねて来てくれました。B5サイズの各ページにピラミッドが2つずつ、ぎっしりと書かれていました。
「1日1回ピラミッドを4カ月間続けるように、と言われたので実行してみたんです。おかげさまで、だいぶピラミッドが身についてきました。つい先日も、フィー・プロポーザル（手数料ビジネスの提案書）を顧客に提出する機会があったので、ピラミッドを使って書いてみたんです。結果は大成功。10億円の手数料契約をゲットすることができました」

ピラミッドが身につき、提案書がぐっと魅力的になり、契約獲得に結び付く……実際に私はこうした話をいくつも耳にしています。

ライティングはビジネス思考を映し出す

ある米国系大企業が複数の大手コンサルティング会社に対し、プロジェクトの提案を依頼してきました。いわゆるコンペです。当時、私が顧問をしていたコンサルティング会社では、若手コンサルタントに提案書を作成させることとなり、私がその指導にあたりました。結果、無事我々の提案が通り、プロジェクトを担当することになりました。後日、この提案書が採用された理由を顧客担当者に聞いてみました。

私　：「他社の提案書はいかがでしたか？」
お客：「実はちょっと驚きました。御社とB社が候補に残ったのですが、提案書の内容も提示された金額もほとんど同じだったんです」
私　：「ではなぜわが社に決めたのですか？」
お客：「提案内容は大差なかったのですが、提案書の書き方がまったく違っていたんです。御社の作成した提案書は、実に展開がわかりやすかった。こういう考え方をする会社に依頼すれば仕事を進めやすいだろうということで、全員一致で御社に決定した次第です」

ライティングとは考えの表現です。書いた人の思考スタイルが如実に現れます。逆に言えば、ライティングの練習を重ねることで、考えを研ぎ澄ますことができます。継続は力なり。「1日1回ピラミッド」はあなたの努力に必ず応えてくれます。

→ 巻末付録

ピラミッドの基本パターン

読み手の疑問に対する答え、
すなわち文書の主メッセージが決まったら、
ピラミッド作りに取りかかります。
しかし、いきなりピラミッド状にメッセージを並べようとすると
どうしても細かいところが気になってしまい、
全体像を見失いがちです。
まずはピラミッド構造を大まかに決めることが先決です。
そこで、実践に役立つ基本4パターンをご紹介します。
たいていのビジネス文書は、この4つでカバーできるはずです。

ピラミッドの決定要素

　ピラミッドの構造は3つの要素で決まります。第一の要素（読み手の疑問）が決まれば、第二の要素（表現スタイル）も第三の要素（WHY／HOW構造）もほぼ自動的に決まります。

読み手の疑問

　まず、読み手の疑問が以下の分類のどれに当たるのかを判断します。

状況判断の疑問 状況判断を問う疑問 ▷	「これは問題か?」 「どのような問題が存在するのか?」 「どこに問題が存在するのか?」 「なぜ問題が存在するのか?」
解決方針の疑問 問題解決の基本方針や戦略の決定／選択に関する疑問 ▷	「問題を解決するために何ができるか?」 「どうするのが最善か?」
解決行動の疑問 問題解決の具体的行動に関する疑問 ▷	「具体的にどう実施すべきか?」

考えの表現スタイル

　メッセージの表現は、状況と行動の大きく2つに分類できます。

```
┌─────────────────────────────────────────────────────────┐
│ 状況表現                                                │
│ （Descriptive）        ●（状況は）……である             │
│                    ▷                                    │
│ 状況記述、              ●（状況は）……になるだろう       │
│ 状況判断を表現する                                      │
│ - - - - - - - - - - - - - - - - - - - - - - - - - - - - │
│                        ●（解決のために）……すべきである │
│ 行動表現               ●（解決のために）……することが必要である │
│ （Prescriptive）   ▷   ●（解決のために）……しなければならない │
│ 問題解決に向けた        ●（解決のために）……してほしい │
│ 「行動」を提案する表現  ●（解決のために）私は……します │
└─────────────────────────────────────────────────────────┘
```

考えの構造

　考えの構造は2つに大別できます。WHY構造では「なぜ？　なぜならば……」のように、主メッセージの理由／判断根拠などを下部で説明します。HOW構造では、「どのようにすべきか？　具体的には……」のように、主メッセージの具体的行動を下部で説明します。

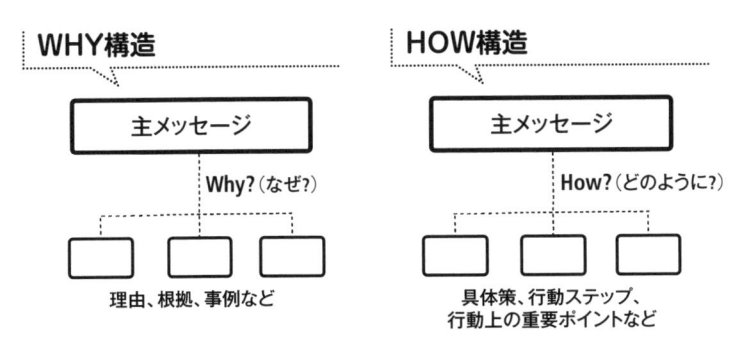

```
  WHY構造                    HOW構造

  ┌─────────┐              ┌─────────┐
  │主メッセージ│              │主メッセージ│
  └─────────┘              └─────────┘
     │ Why?(なぜ?)              │ How?(どのように?)
  ┌──┼──┐                ┌──┼──┐
  │  │  │                │  │  │
  □  □  □                □  □  □
  理由、根拠、事例など       具体策、行動ステップ、
                            行動上の重要ポイントなど
```

　読み手の疑問が3つに分類されるということは、すなわち、ピラミッドの構造も3パターンに収まるということです。その応用形を加えて4つの基本パターンを覚えておけば、ほぼすべての文書に対応できます。

基本パターン1 状況のWHY

「状況のWHY」は、状況分析や問題分析の報告書で用いられるパターンです。状況判断を問う疑問に対して、主メッセージで状況判断を述べ、下部で判断根拠／理由を述べます。
「……である。なぜならば／なぜそう判断するかと言えば／たとえば……」
　主メッセージ、下部メッセージともに状況表現となります。ビジネスで最もよく使われる基本中の基本パターンです。

状況のWHY

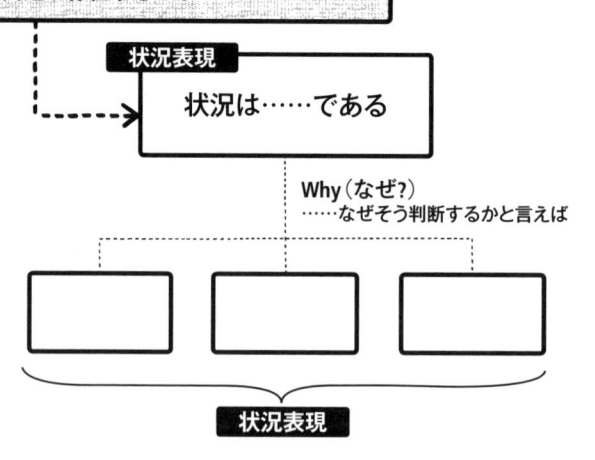

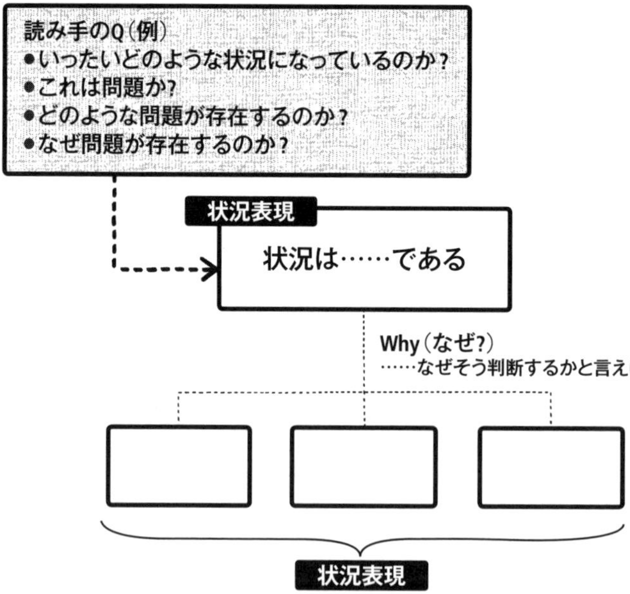

```
読み手のQ（例）
●いったいどのような状況になっているのか？
●これは問題か？
●どのような問題が存在するのか？
●なぜ問題が存在するのか？
```

　　　　状況表現
　　　┌─────────────────┐
　　　│ 状況は……である　　│
　　　└─────────────────┘
　　　　　　Why（なぜ？）
　　　　　……なぜそう判断するかと言えば

┌───┐　┌───┐　┌───┐
│　　│　│　　│　│　　│
└───┘　└───┘　└───┘
　　　　　状況表現

状況のWHY:「判断根拠」を示す場合

以下が典型的な例です。下部がすべて「判断根拠」という同じ考えでグループ化されていることに注目してください。

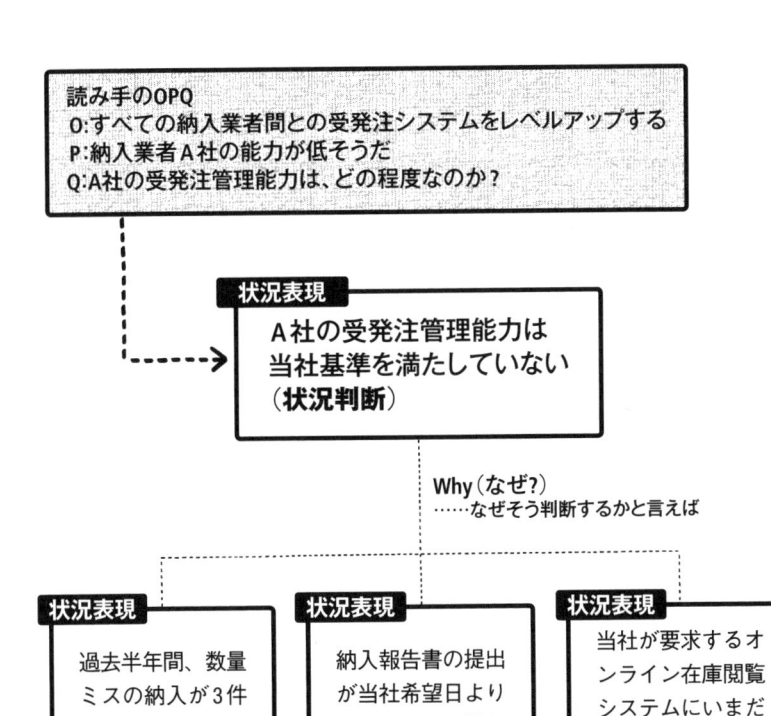

```
読み手のOPQ
O:すべての納入業者間との受発注システムをレベルアップする
P:納入業者A社の能力が低そうだ
Q:A社の受発注管理能力は、どの程度なのか？
```

状況表現
A社の受発注管理能力は当社基準を満たしていない（**状況判断**）

Why（なぜ？）
……なぜそう判断するかと言えば

状況表現
過去半年間、数量ミスの納入が3件もあった（**判断根拠**）

状況表現
納入報告書の提出が当社希望日より常に2～3日遅れる（**判断根拠**）

状況表現
当社が要求するオンライン在庫閲覧システムにいまだ対応できていない（**判断根拠**）

状況のWHY：主メッセージが「行動表現」となる場合

問題が明らかな場合には、問題の裏返しがそのまま解決案になることもあります。この場合、ピラミッド構造は上記と同じですが、主メッセージを「……すべき」（行動表現）とする場合があります。

読み手のOPQ
O：すべての納入業者間との受発注システムをレベルアップする
P：納入業者A社の能力が低そうだ
Q：A社を納入業者として認定したままでよいのだろうか？

行動表現
状況が改善されない限り、納入業者からA社を外すべきである（**行動提案**）

Why（なぜ?）
……なぜそう判断するかと言えば

状況表現
過去半年間、数量ミスの納入が3件もあった（**判断根拠**）

状況表現
納入報告書の提出が当社希望日より常に2〜3日遅れる（**判断根拠**）

状況表現
当社が要求するオンライン在庫閲覧システムにいまだ対応できていない（**判断根拠**）

memo

ピラミッドの基本パターン

基本パターン2 方針のWHY

「方針のWHY」は、方針提案書や戦略提案書でよく用いられるパターンです。問題解決の基本方針や戦略の決定／選択を問う疑問に対して、主メッセージで解決方針／提案を述べ、下部で提案の根拠／理由を述べます。

「……を提案する。なぜならば／なぜこれを提案するかと言えば……」

主メッセージが行動表現、下部メッセージが状況表現となります。下部は大きく分けて「選択肢評価型」と「内容説明型」があります。

方針のWHY

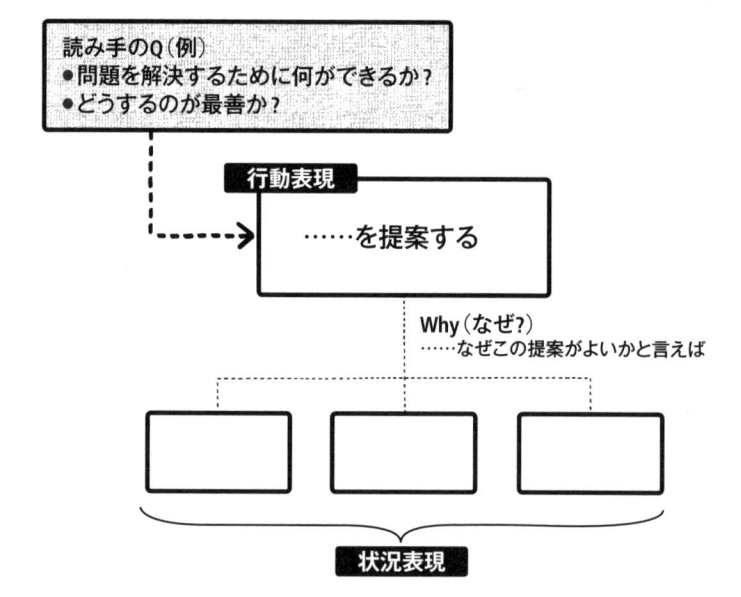

読み手のQ（例）
- 問題を解決するために何ができるか？
- どうするのが最善か？

行動表現

……を提案する

Why（なぜ?）
……なぜこの提案がよいかと言えば

状況表現

方針のWHY:選択肢評価型

複数の選択肢を評価し、その選択肢の中から最善のものを提案するやり方です。下部には選択肢評価の結果がリストされます。下記がその一例です。

例:C社製システム

```
読み手のOPQ
 O:受発注システムを効率化する
 P:どこのシステムを入れるのがよいかわからない
 Q:どこのシステムを導入すべきだろうか？
```

行動表現
わが社の必要性を考えると、C社製システムを導入するのが最善である（**方針提案**）

Why（なぜ？）
……なぜそう判断するかと言えば

状況表現
A社製の最大の長所はハードウエアの融通性が高いことである（**選択肢A社評価**）

状況表現
B社製の最大の長所は充実した運営サポート体制である（**選択肢B社評価**）

状況表現
C社製の最大の長所はトータルコストの安さである（**選択肢C社評価**）

ピラミッドの基本パターン

方針のWHY:内容説明型

提案方針の内容（メリット／特徴）を説明することで、提案の妥当性を主張するやり方です。他の選択肢との比較ではなく、現状との比較で提案の優位性を主張します。方針提案、とりわけ目的／内容／予算で構成される提案書でよく見られる形です。

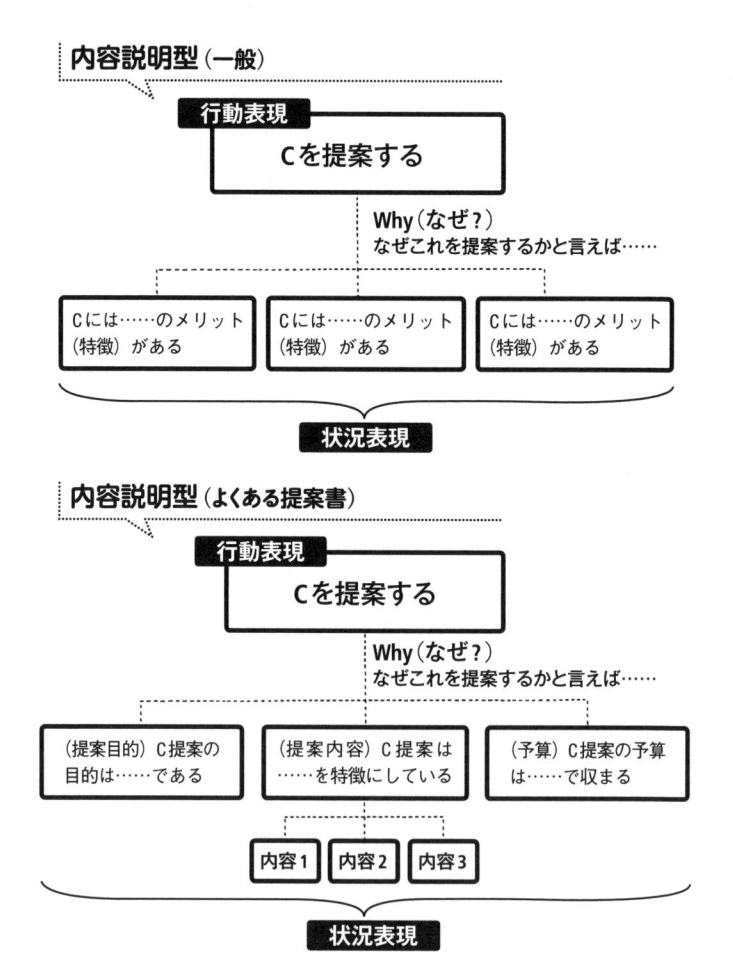

内容説明型（一般）

[行動表現]
Cを提案する

Why（なぜ？）
なぜこれを提案するかと言えば……

- Cには……のメリット（特徴）がある
- Cには……のメリット（特徴）がある
- Cには……のメリット（特徴）がある

→ [状況表現]

内容説明型（よくある提案書）

[行動表現]
Cを提案する

Why（なぜ？）
なぜこれを提案するかと言えば……

- （提案目的）C提案の目的は……である
- （提案内容）C提案は……を特徴にしている
  - 内容1　内容2　内容3
- （予算）C提案の予算は……で収まる

→ [状況表現]

内容説明という意味ではHOW構造にも思えますが、主メッセージの妥当性を示す説明なので、ここではWHY構造に位置づけています。

例:カテゴリマネジメント提案

読み手のOPQ
O:お菓子売り場の利益を上げたい
P:今までの売り方では大きな限界を感じる
Q:もっと効果的な売り場管理のやり方はないのだろうか？

行動表現
弊社のカテゴリマネジメント・システムの導入を提案します

Why（なぜ？）
なぜならば
（なぜこの提案がよいかと言えば）

状況表現
（目的）
このシステムの目的は、単品単位ではなく、お菓子カテゴリ全体の利益最大化を実現することです

状況表現
（内容）
このシステムでは、データ分析に基づいた客観的なカテゴリ戦略の提案が最大の特徴です

状況表現
（予算）
このシステム導入費用はxxx円に収めることができます

このシステムはすべての販売促進施策の投資効果を数値測定します

このシステムはすべての新製品の利益効果を数値測定します

このシステムは店舗の実績を全国データと週単位で比較測定します

ピラミッドの基本パターン

基本パターン 3　行動のHOW

「行動のHOW」は事業計画書／行動計画書でよく用いられるパターンです。問題解決の具体案を問う疑問に対して、主メッセージで解決方針を述べ、下部で具体策を述べます。あるいは、基本方針の具体的アクションに対して、主メッセージで実施上の重要ポイントを述べ、下部で具体的アクション（行動ステップ／行動ポイント）を述べます。主メッセージ、下部メッセージともに行動表現になります。

行動のHOW（例）

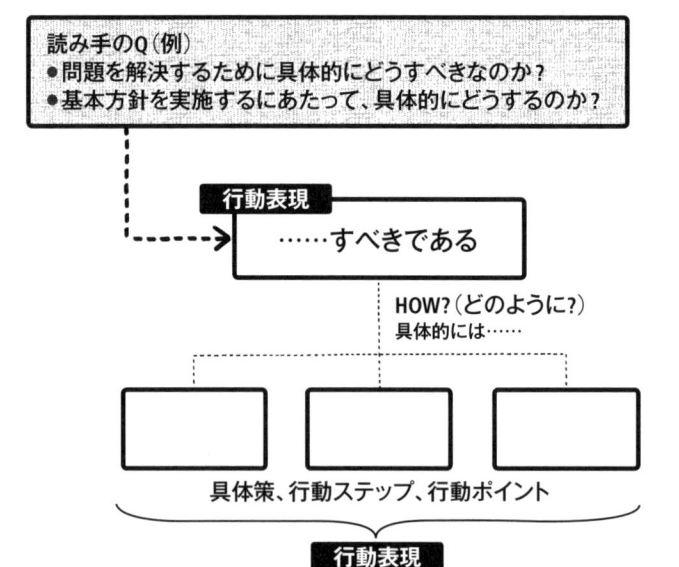

読み手のQ（例）
- 問題を解決するために具体的にどうすべきなのか？
- 基本方針を実施するにあたって、具体的にどうするのか？

↓

【行動表現】
……すべきである

HOW?（どのように?）
具体的には……

[　　　]　[　　　]　[　　　]

具体策、行動ステップ、行動ポイント
【行動表現】

例:ブレーンストーミング運営

読み手のOPQ
O:もっとアイデアが出るブレーンストーミング（ブレスト）を実施したい
P:何度ブレストをしてもまったくよいアイデアが出ない
Q:ブレストはどのように運営すべきなのだろうか？

行動表現
ブレーンストーミング実施にあたっては、アイデアの数を重視すべきである

How?（どのように?）
具体的には（実施のポイントは）

行動表現
ブレーンストーミングでは、出てくるアイデアへの批判は一切させるな

行動表現
ブレーンストーミングでは、言いたい放題的な突飛なアイデアを歓迎せよ

行動表現
ブレーンストーミングでは、出すべきアイデアに関し、数のノルマを設けよ

行動表現
ブレーンストーミングでは、出てきたアイデアへの上乗せ・発展的なアイデアを奨励せよ

基本パターン4　WHYとHOWの三段論法

　読み手はときに、問題分析と行動計画を1つのレポートにして提出しろなどという難題を言うことがあります。問題分析だけではなく解決の方法論も同時に求められるケースです。

　ビジネス文書は「1つの文書に1つのピラミッド」が大原則です。このような場合、「状況のWHY」と「行動のHOW」を組み合わせた三段論法的ピラミッドを作成します。四段論法にはなりません。

　ここでは問題状況の理解が解決策に合意する大前提となるので、WHYのピラミッドの方が、HOWのピラミッドよりも大きくなります。HOWはWHYの付け足しと位置づけるのがポイントです。その逆、すなわちHOWが主役でWHYが付け足しにはなりません。その場合には、問題状況の理解（WHY）は読み手にとってはメッセージとして価値のない、当たり前の事柄になっているはずだからです。

　なお、このピラミッドでは、主メッセージとHOWのキーラインがほぼ同じものになるために、文書中では主メッセージが暗示的にしか表現されない場合も多くあります。

WHYとHOWの三段論法的ピラミッド（例）

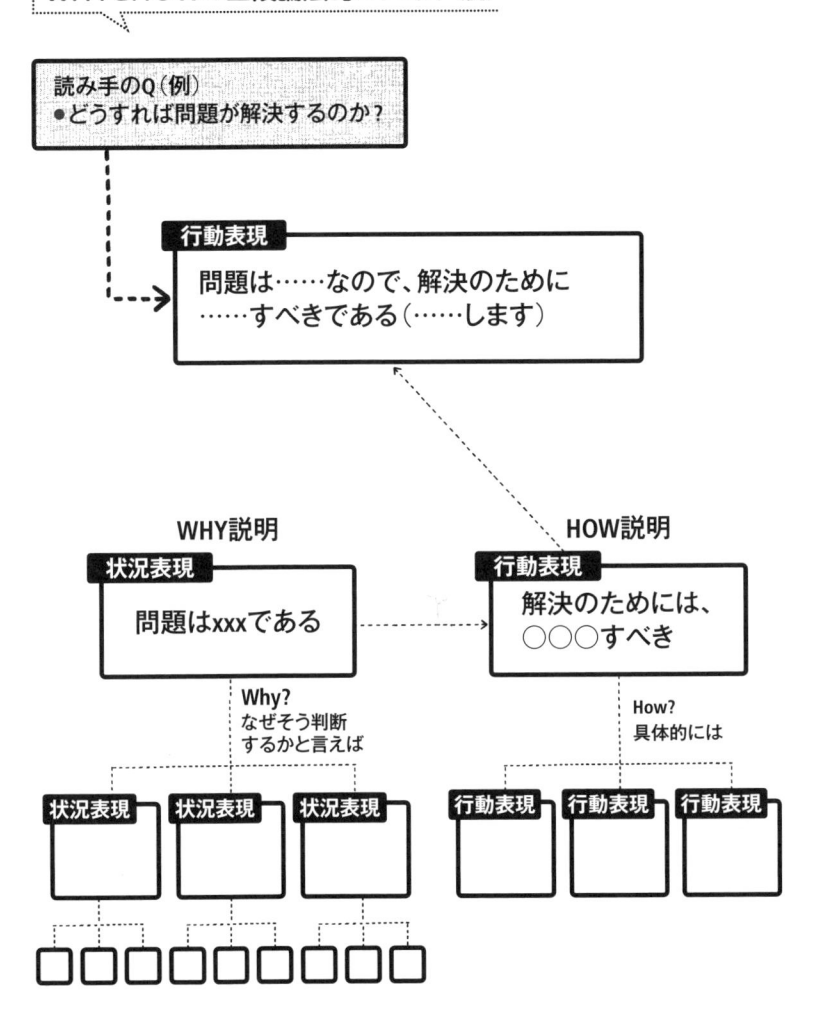

読み手のQ（例）
- どうすれば問題が解決するのか？

行動表現
問題は……なので、解決のために……すべきである（……します）

WHY説明

状況表現
問題はxxxである

Why?
なぜそう判断するかと言えば

| 状況表現 | 状況表現 | 状況表現 |

HOW説明

行動表現
解決のためには、○○○すべき

How?
具体的には

| 行動表現 | 行動表現 | 行動表現 |

ピラミッドの基本パターン

例：納入業者（その3）

読み手のOPQ
O：すべての納入業者間との受発注システムをレベルアップする
P：納入業者A社の能力が低そうだ
Q：A社を納入業者として認定したままでよいだろうか？

行動表現
A社の受発注管理能力は当社基準を満たしていないので、この状況が改善されない限り、納入業者からA社を外すべきである

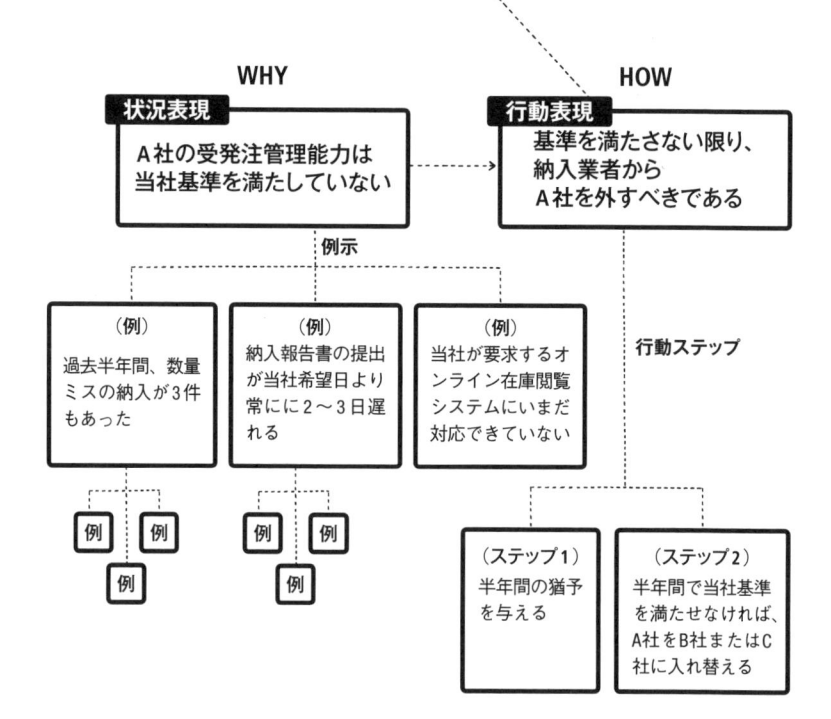

WHY

状況表現
A社の受発注管理能力は当社基準を満たしていない

例示

（例）過去半年間、数量ミスの納入が3件もあった

（例）納入報告書の提出が当社希望日より常にに2〜3日遅れる

（例）当社が要求するオンライン在庫閲覧システムにいまだ対応できていない

例　例　例
例　例　例

HOW

行動表現
基準を満たさない限り、納入業者からA社を外すべきである

行動ステップ

（ステップ1）半年間の猶予を与える

（ステップ2）半年間で当社基準を満たせなければ、A社をB社またはC社に入れ替える

参考文献

　本書で紹介したピラミッド原則は、バーバラ・ミント女史によって提唱されたものです。
　ミント女史は、ハーバード・ビジネススクール卒業後、マッキンゼー社に初の女性コンサルタントとして入社。文書作成に関する能力が認められ、ヨーロッパスタッフのレポート作成指導責任者となりました。1973年に独立、ピラミッド原則を用いたレポート作成、分析、プレゼンテーションなどの方法を、世界の主要コンサルティング会社、ペプシコ、オリベッティ、AT&Tシステム、ユニリーバなどで教えています。
　主な著作は、以下の通り。『新版 考える技術・書く技術』はロジカル・ライティングの定番書として世界中で使用されています。

- The Pyramid Principle, Minto International, 1981.
  邦訳『考える技術・書く技術』グロービス監修、山﨑康司訳、ダイヤモンド社刊、1995年

- The Minto Pyramid Principle, Minto International, 1996.（上記の改訂版）
  邦訳『新版 考える技術・書く技術』グロービス・マネジメント・インスティテュート監修、山﨑康司訳、ダイヤモンド社刊、1999年

- The Minto Pyramid Principle Self-Study Course Workbook, Minto International, 1998
  邦訳『考える技術・書く技術 ワークブック〈上〉〈下〉』グロービス・マネジメント・インスティテュート監修、山﨑康司訳、ダイヤモンド社刊、2006年

[著者]
山﨑康司（やまさき・こうじ）

隗コンサルティングオフィス株式会社代表。豊富な経営コンサルティング経験を元に、さまざまな大企業にて、『考える技術・書く技術』関連（ビジネス思考、ライティング、スライド作成、事業計画書作成）の教育・研修を実施している。著書に『オブジェクティブ＆ゴール』『P&Gに見るECR革命』、訳書に『考える技術・書く技術』『不合理のマネジメント』『仕事ストレスで伸びる人の心理学』『正しいこと』など。1980年ペンシルベニア大学ウォートン・スクール卒業（MBA）、1976年東京大学建築学科卒業。福岡県出身。

http://kai-consulting.jp/

入門 考える技術・書く技術
日本人のロジカルシンキング実践法

2011年4月7日　第1刷発行
2011年4月20日　第2刷発行

著　者————山﨑康司
発行所————ダイヤモンド社
　　　　　〒150-8409　東京都渋谷区神宮前6-12-17
　　　　　http://www.diamond.co.jp/
　　　　　電話　03・5778・7234（編集）　03・5778・7240（販売）

ブックデザイン——大悟法淳一、永瀬優子（ごぼうデザイン事務所）
製作進行————ダイヤモンド・グラフィック社
印刷—————八光印刷（本文）、慶昌堂印刷（カバー）
製本—————ブックアート
編集担当————前澤ひろみ

©2011 Koji Yamasaki
ISBN 978-4-478-01458-5
落丁・乱丁本はお手数ですが小社営業局宛にお送りください。送料小社負担にてお取替えいたします。但し、古書店で購入されたものについてはお取替えできません。
無断転載・複製を禁ず
Printed in Japan